ENCICLOPEDIA E TECNICHE A
UNCINETTO

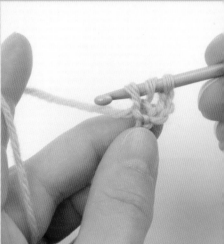

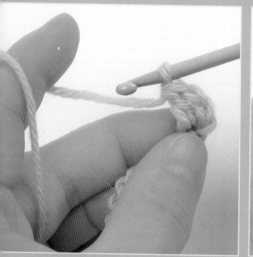

ENCICLOPEDIA E TECNICHE A
UNCINETTO

Una straordinaria guida pratica illustrata
alle tecniche a uncinetto e un'interessante
galleria di lavori finiti

JAN EATON

UN LIBRO QUARTO

Titolo originale: THE ENCYCLOPEDIA
OF CROCHET TECHNIQUES

Per l'Italia:
© 2006 Il Castello srl
Via Milano 73/75 – 20010 Cornaredo (MI)
Tel. 02 99762433 – Fax 02 99762445
e-mail: info@ilcastelloeditore.it
www.ilcastelloeditore.it

Seconda edizione: ottobre 2011

Direzione generale: Luca Belloni
Direzione editoriale: Viviana Reverso

Questo libro è stato progettato e prodotto da
Quarto Publishing plc
The Old Brewery
6 Blundell Street
London N7 9BH

Traduzione: Sei Servizi, Varese
Revisione: Lucia Calza
Elaborazione testi a computer: Elena Turconi

Redazione del progetto: Lindsay Kaubi
Redazione artistica e grafica: Julie Francis
Assistente alla direzione artistica: Penny Cobb
Illustrazioni: Kuo Kang Chen, Coral Mula
Simboli e schemi: Betty Barnden
Fotografia: Phil Wilkins, Martin Norris
Ricerche iconografiche: Claudia Tate

Direzione artistica: Moira Clinch
Direzione editoriale: Paul Carslake

Stampato TOPPAN Leefung Printers Limited, China

SOMMARIO

COME USARE QUESTO LIBRO

Il libro si apre con un capitolo dedicato alle tecniche di base per lavorare a uncinetto intitolato "Nozioni fondamentali". Una volta apprese queste tecniche, passate al capitolo "Tecniche e punti", nel quale potrete espandere le vostre conoscenze e abilità. Ogni tecnica è a sé, per questo siete libere di scegliere se seguire questo libro dall'inizio alla fine, oppure passare da una sezione all'altra a piacere. I capitoli "Lavori" e "Galleria" vi incoraggeranno a mettere in pratica le abilità apprese.

NOZIONI FONDAMENTALI

Questa sezione, vi guiderà passo passo attraverso tutte le tecniche di base spaziando dagli strumenti ai materiali, da come tenere l'uncinetto e il filo per realizzare le maglie fondamentali a come leggere gli schemi ed eseguire le cuciture. Queste nozioni vi serviranno come guida per i vostri primi passi nel mondo dell'uncinetto.

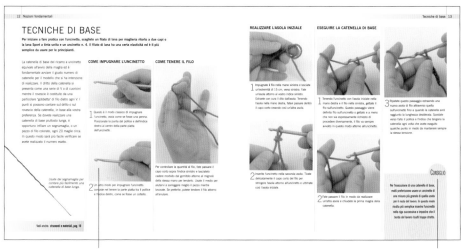

Sequenze passo passo e illustrazioni chiare e facili da seguire integrano le varie tecniche.

In tutto il libro sono presenti utili consigli.

LAVORI

All'interno di questo libro sono presenti sette stupendi lavori che vanno da una semplice sciarpa lavorata con un grazioso punto pizzo a una stupenda sacca striata lavorata interamente in tondo usando un assortimento di fili contrastanti. Tutti i progetti invitano a usare e a espandere le tecniche apprese in precedenza.

Ogni progetto è accompagnato da una foto esemplificativa del lavoro finito.

Le spiegazioni chiare indicano i materiali, la tensione, le dimensioni finali e come realizzare il pezzo.

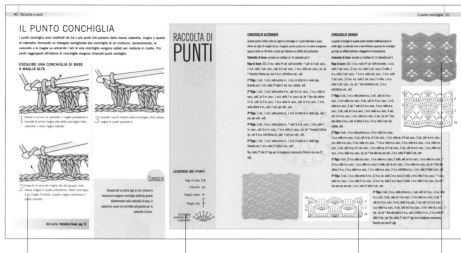

TECNICHE E PUNTI

Dai modelli striati più classici alle raffinatezze traforate dell'uncinetto filet, questa sezione presenta una vasta gamma di punti e tecniche all'uncinetto, partendo dai modelli e dalle forme più facili. Si passa poi ai punti più elaborati e alle tecniche più particolari come l'uncinetto con la forcella e quello tunisino, per concludere con la realizzazione di ornamenti come cordoni e decori e l'applicazione di perline e paillette. Ogni tecnica è affiancata da una "Raccolta di punti" pensata appositamente per invogliarvi a mettere in pratica quanto appena appreso.

Le sequenze passo passo spiegano come realizzare il punto.

La legenda dei punti illustra le maglie usate nello schema.

Gli schemi vengono spiegati per iscritto e sottoforma di diagrammi.

Un campione del pezzo a uncinetto mostra il tessuto ultimato.

Ogni lavoro è descritto nei minimi dettagli e con indicazioni utili sulla relativa realizzazione.

Le foto dai colori vivaci offrono spunti e idee per la scelta di colori e punti oltre a varie possibilità per i vostri lavori.

GALLERIA

Questa sezione presenta solo alcuni dei modi in cui è possibile impiegare il tessuto a uncinetto, dalla realizzazione di pupazzi per i più piccoli alla creazione di indumenti alla moda e tessuti dai design straordinari. Il tessuto a uncinetto può essere di varie tipologie: leggero, raffinato e traforato, pesante e lavorato, uniforme e decorato in svariati modi. Potete sfogliare in qualsiasi momento le pagine della galleria per ottenere nuovi spunti dalle varie sottocategorie: indumenti, gioielli, borse e pupazzi.

Fonti

Le "Fonti" contengono informazioni dettagliate sulle abbreviazioni e la simbologia dei punti usate in questo libro, nonché consigli sulle combinazioni classiche di uncinetto e filo.

Un pratico "Glossario" fornisce definizioni rapide dei termini usati nel libro ed è presente anche un elenco di rivenditori specializzati in materiale per lavorare a uncinetto.

Capitolo 1
NOZIONI FONDAMENTALI

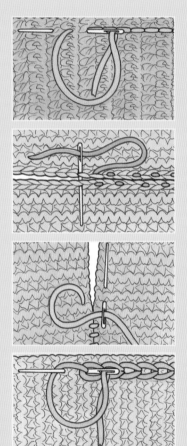

Questo capitolo illustra tutte le tecniche di base necessarie per iniziare a lavorare all'uncinetto: dalla scelta del filato e degli uncinetti, all'esecuzione dei punti di base, alla comprensione delle spiegazioni e degli schemi. È il punto di partenza per i principianti o per coloro che hanno intenzione di rispolverare le proprie abilità.

STRUMENTI E MATERIALI

Per iniziare a lavorare, avete bisogno solamente di un uncinetto e di un gomitolo di filo. Esistono molti tipi di uncinetto, diversi per dimensioni e composizione. Anche i fili sono disponibili in un vasto assortimento di fibre, pesi, colori e prezzi. L'importante è scegliere quello giusto per il vostro lavoro.

GLI UNCINETTI

Gli uncinetti dei vari produttori e quelli fatti di materiali diversi possono differire di molto in fatto di forma e dimensioni, sebbene vengano contrassegnati dallo stesso numero o lettera indicante la loro grandezza. Anche se le dimensioni dell'uncinetto riportate nelle spiegazioni sono un utile punto di riferimento, potreste ritrovarvi a usarne di più piccoli o di più grandi, a seconda del marchio, per ottenere la tensione opportuna per quel modello. Il fattore più importante da prendere in considerazione nella scelta di un uncinetto è come lo sentite in mano e se riuscite a usarlo con facilità con il vostro filo. Una volta individuato il marchio di uncinetti che preferite, vi consiglio di comprarne un po' di esemplari di dimensioni diverse in modo da averli sempre a portata di mano. Conservateli in un contenitore pulito, per esempio una pochette. Se il vostro uncinetto inizia a diventare viscido o appiccicoso, lavatelo in acqua calda con un po' di sapone, risciacquatelo con acqua pulita e asciugatelo bene.

Uncinetti professionali

Un assortimento di uncinetti in alluminio, plastica e resina.

UNCINETTI CLASSICI

Gli uncinetti più diffusi sono quelli in alluminio o plastica. Sono disponibili in una vasta gamma di dimensioni da utilizzare con filati di grossezza diversa. Esistono anche le varianti fatte a mano in legno e corno, alcune provviste di manico decorato.

Uncinetti sottili

UNCINETTI SOTTILI

Gli uncinetti sottili d'acciaio servono per lavorare i pizzi con fili di cotone fine e spesso presentano dei manici di plastica per favorire un'impugnatura migliore.

UNCINETTI PROFESSIONALI

Gli uncinetti professionali presentano un'impugnatura facile e costituiscono dei supplementi utili per un set di uncinetti, come pure quelli provvisti di un uncinetto di dimensioni diverse sulle due estremità.

CONSIGLIO

Combinazioni utili di filato e uncinetto

Lana sport (4 capi)

2,5 mm–3,5 mm

Filato per maglieria ritorto a due capi

3,5 mm–4,5 mm

Lana doppio sport (Aran)

5 mm-6 mm

I FILATI

Ci sono moltissimi filati utilizzabili per il lavoro a uncinetto, dal cotone finissimo alla lana grossa. I filati possono essere composti da una fibra o combinarne due o tre diverse tra loro e in proporzioni variabili.

Generalmente, i filati più semplici da usare per l'uncinetto, soprattutto per una principiante, presentano una superficie liscia e una torcitura media o fitta.

I filati di lana e quelli composti da un alto contenuto di lana sono adatti per questo tipo di lavoro perché presentano un certo grado di elasticità, facilitando così l'inserimento dell'uncinetto in ogni punto. Il filo di seta ha una deliziosa lucentezza ma è meno elastico di quello di lana o di cotone e molto più costoso. I fili di lino e cotone sono resistenti e trendy da indossare ma si possono mischiare con altre fibre in modo da renderli più morbidi. I filati composti completamente da fibre sintetiche, come quelle acriliche o il nylon, generalmente sono meno costosi di quelli fatti di fibre naturali, ma possono fare i pallini una volta vecchi e sformarsi. Un buon compromesso è scegliere un filato composto da una piccola parte di fibre sintetiche combinate con una fibra naturale, come la lana o il cotone.

Il filato viene venduto a peso invece che a lunghezza sebbene oggi molte confezioni includano anche la lunghezza del gomitolo oltre al peso. In genere viene venduto in gomitoli ma lo si può trovare anche sottoforma di matassa che andrà avvolta a mano a forma di gomitolo prima di iniziare a lavorare.

I filati possono essere composti da fibre naturali o sintetiche o da una combinazione di esse.

▶ AGHI DA LANA

Gli aghi da lana hanno punte smussate che possono essere dritte o incurvate e crune larghe. Ne esistono di diverse grandezze e vengono usati per fissare i capi dei fili e per cucire insieme i pezzi fatti a uncinetto.

▶ SPILLI

Gli spilli con la testa grande rotonda o sagomata servono ad appuntare tra loro i pezzi realizzati a uncinetto in quanto hanno teste facilmente individuabili e non scivolano attraverso le maglie.

▶ METRO A NASTRO

Sceglietene uno che presenti sia i centimetri che i millimetri sullo stesso lato e sostituitelo non appena si logora o si consuma. Un metro logoro probabilmente si è anche lasciato andare e quindi è impreciso.

▼ FORBICI APPUNTITE

Scegliete un paio di forbici piccole e appuntite per tagliare il filo e recidere i capi.

Porta-aghi

Aghi a punta curva

Aghi a punta dritta

Spilli a testa grande

Metri a nastro

Forbici appuntite

TECNICHE DI BASE

Per iniziare a fare pratica con l'uncinetto, scegliete un filato di lana per maglieria ritorto a due capi o la lana Sport a tinta unita e un uncinetto n. 4. Il filato di lana ha una certa elasticità ed è il più semplice da usare per le principianti.

La catenella di base del ricamo a uncinetto equivale all'avvio della maglia ed è fondamentale avviare il giusto numero di catenelle per il modello che si ha intenzione di realizzare. Il dritto della catenella si presenta come una serie di V o di cuoricini mentre il rovescio è costituito da una particolare "gobbetta" di filo dietro ogni V. I punti si possono contare sul dritto o sul rovescio della catenella, in base alla vostra preferenza. Se dovete realizzare una catenella di base piuttosto lunga, è opportuno infilare un segnamaglia, o un pezzo di filo colorato, ogni 20 maglie circa. In questo modo sarà più facile verificare se avete realizzato il numero esatto.

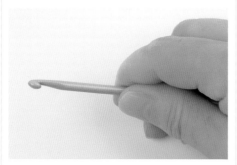

Usate dei segnamaglia per contare più facilmente una catenella di base lunga.

Vedi anche: **strumenti e materiali, pag. 10**

COME IMPUGNARE L'UNCINETTO

1 Questo è il modo classico di impugnare l'uncinetto, ossia come se fosse una penna. Posizionate la punta del pollice e dell'indice destro al centro della parte piatta dell'uncinetto.

2 Un altro modo per impugnare l'uncinetto consiste nel tenere la parte piatta tra il pollice e l'indice destro, come se fosse un coltello.

COME TENERE IL FILO

Per controllare la quantità di filo, fate passare il capo corto sopra l'indice sinistro e lasciatelo cadere morbido dal gomitolo attorno al mignolo della stessa mano per tenderlo. Usate il medio per aiutarvi a sorreggere meglio il pezzo mentre lavorate. Se preferite, potete tendere il filo attorno all'anulare.

REALIZZARE L'ASOLA INIZIALE

1 Impugnate il filo nella mano sinistra e lasciate un'estremità di 15 cm, verso sinistra. Fate un'asola attorno al vostro indice sinistro. Estraete con cura il dito dall'asola. Tenendo l'asola nella mano destra, fatevi passare dentro il capo corto creando così un'altra asola.

2 Inserite l'uncinetto nella seconda asola. Tirate delicatamente il capo corto del filo per stringere l'asola attorno all'uncinetto e ultimate così l'asola iniziale.

ESEGUIRE LA CATENELLA DI BASE

1 Tenendo l'uncinetto con l'asola iniziale nella mano destra e il filo nella sinistra, gettate il filo sull'uncinetto. Questo passaggio viene definito filo sull'uncinetto o gettato e a meno che non sia espressamente richiesto di procedere diversamente, il filo va sempre avvolto in questo modo attorno all'uncinetto.

2 Fate passare il filo in modo da realizzare un'altra asola e chiudete la prima maglia della catenella.

3 Ripetete questo passaggio estraendo una nuova asola di filo attraverso quella sull'uncinetto fino a quando la catenella avrà raggiunto la lunghezza desiderata. Spostate verso l'alto il pollice e l'indice che tengono la catenella ogni volta che avete eseguito qualche punto in modo da mantenere sempre la stessa tensione.

CONSIGLIO

Per l'esecuzione di una catenella di base, molti preferiscono usare un uncinetto di una misura più grande di quella usata per il resto del lavoro. In questo modo risulta più semplice inserire l'uncinetto nella riga successiva e impedire che il bordo del lavoro risulti troppo stretto.

CONTARE LE CATENELLE

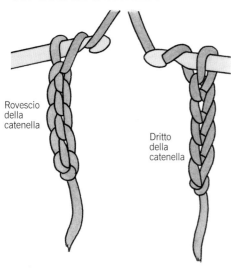

Rovescio della catenella

Dritto della catenella

Da non contare

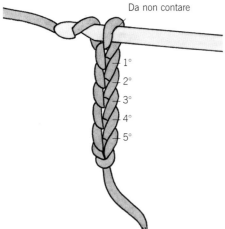

1°
2°
3°
4°
5°

Contate ogni asola a V sul dritto della catenella come un punto, fatta eccezione per quella sull'uncinetto che non viene considerata nel conteggio. Se preferite, potete capovolgere la catenella e contare i punti dal rovescio.

LAVORARE NELLA CATENELLA DI BASE

1 Ora siete pronti per eseguire la prima riga di maglie nella catenella. Ci sono diverse zone in cui è possibile inserire l'uncinetto ma questo è il metodo più facile per le principianti, anche se conferisce al lavoro un bordo piuttosto allentato. Tenendo la catenella con il dritto rivolto verso di voi, inserite l'uncinetto nell'asola in cima alla catenella ed eseguite il primo punto come descritto nello schema.

2 Per ottenere un bordo più solido, in grado di sostenersi da sé, senza che sia necessario rinforzarlo, voltate la catenella affinché il rovescio sia rivolto verso di voi. Eseguite la prima riga di punti come descritto nello schema, inserendo l'uncinetto nella "gobbetta" dietro ogni punto catenella.

Catenelle per voltare

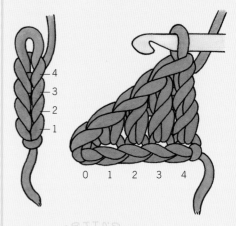

4
3
2
1

0 1 2 3 4

Quando si lavora a uncinetto per righe o giri, è necessario eseguire un numero specifico di catenelle in più all'inizio di ogni riga o giro dette catenelle volanti. Le catenelle volanti sono necessarie per poter portare l'uncinetto all'altezza giusta per la maglia che andrete a eseguire subito dopo. Se il lavoro viene voltato alla fine di una riga dritta, le catenelle in più formano la cosiddetta catenella per voltare mentre se vengono eseguite all'inizio di un giro si parla di catenella di partenza. Lo schema sopra riporta il numero esatto di catenelle volanti necessarie per voltare secondo il tipo di maglia. Se siete abituati a eseguire i punti catenella molto stretti, potreste aver bisogno di una catenella in più per impedire che i bordi del vostro lavoro risultino troppo fitti.

LA MAGLIA BASSISSIMA

Maglia bassa	1 catenella per voltare
Mezza maglia alta	2 catenelle per voltare
Maglia alta	3 catenelle per voltare
Maglia alta doppia	4 catenelle per voltare

La catenella per voltare o di partenza, in genere viene contata come il primo punto della riga, fatta eccezione per quando si sta eseguendo un lavoro a uncinetto singolo e la catenella per voltare non viene considerata. Per esempio 4 cat. (equivalenti a 1 m.a.d.) All'inizio di una riga sottintendono che la catenella per voltare o di partenza contiene quattro punti catenella che vengono considerati equivalenti a una maglia alta doppia. Una catenella per voltare o di partenza potrebbe essere costituita da più punti di quelli necessari per la maglia. In quel caso verrebbe cosiderata come una maglia più un certo numero di catenelle. Per esempio 6 cat. (equivalenti a 1 m.a.d., 2 cat.) Sottintendono che la catenella per voltare o di partenza equivalga a una maglia alta doppia più due punti catenella.

Alla fine della riga o del giro, la maglia finale viene eseguita in genere nella catenella per voltare o di partenza, sulla riga o sul giro precedente. La maglia finale potrebbe essere eseguita in cima alla catenella per voltare o di partenza o in un altro punto specifico della stessa. Per esempio 1 m.a. nella 3ª delle 3 cat. Significa che la maglia finale è una maglia alta eseguita nel terzo punto della catenella per voltare o di partenza.

La maglia bassissima è raro venga usata per creare un pezzo a uncinetto singolo. Viene per lo più impiegata per unire dei giri e per spostare l'uncinetto e il filo in una nuova posizione all'interno di un gruppo di maglie già eseguite. Per eseguire una maglia bassissima all'interno di una catenella di base, inserite l'uncinetto dal davanti verso il dietro sotto l'asola in cima alla seconda catenella a partire dall'uncinetto. Gettate il filo sull'uncinetto ed estraetelo attraverso la catenella e l'asola sull'uncinetto. Rimarrà un'asola sull'uncinetto e si otterrà una maglia bassissima.

CONSIGLIO

Quando eseguite delle maglie bassissime per chiudere dei giri a uncinetto o per spostare l'uncinetto e il filo in una nuova posizione, fate attenzione a non farle troppo strette altrimenti il tessuto si raggrinzerà.

LA MAGLIA BASSA

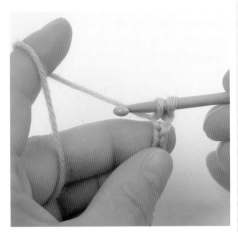

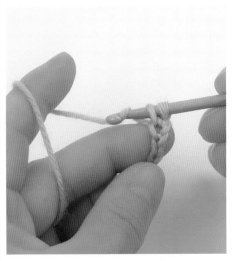

1 Eseguite la catenella di base e inserite l'uncinetto dal davanti verso il dietro sotto l'asola in cima alla seconda catenella a partire dall'uncinetto. Gettate il filo sull'uncinetto ed estraetelo attraverso la prima maglia, lasciandone altre due sull'uncinetto.

2 Per chiudere la maglia, gettate il filo sull'uncinetto ed estraetelo attraverso le due asole su di esso. Continuate in questo modo lungo tutta la riga, lavorando una maglia bassa in ogni catenella.

4 Inserite l'uncinetto dal davanti verso il dietro sotto alle due asole della prima maglia bassa all'inizio della riga. Eseguite una maglia bassa in ogni maglia della riga precedente, facendo attenzione a effettuare quella finale nell'ultima maglia della riga sottostante ma non nella catenella per voltare.

Maglia bassa

3 Alla fine della riga, voltate ed eseguite una catenella per voltare (ricordatevi che non va contata come una maglia).

LA MEZZA MAGLIA ALTA

1 Gettate il filo sull'uncinetto e inserite quest'ultimo dal davanti verso il dietro nel lavoro (se siete all'inizio della riga, inseritelo sotto l'asola in cima alla terza catenella partendo dall'uncinetto).

2 Estraete il filo attraverso la catenella, lasciando tre asole sull'uncinetto.

3 Gettate il filo sull'uncinetto ed estraete tutte e tre le maglie su di esso. Rimarrà un'asola sull'uncinetto e si otterrà una mezza maglia alta.

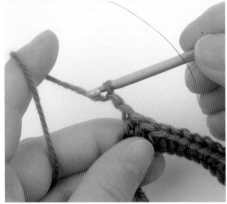

4 Proseguite per tutta la riga, lavorando una mezza maglia alta in ogni catenella. Alla fine della riga, eseguite due catenelle per la catenella per voltare e voltate.

5 Saltate la prima mezza maglia alta all'inizio della riga, gettate il filo sull'uncinetto, inseritelo dal davanti verso il dietro sotto le asole della seconda maglia sulla riga precedente e lavorate una mezza maglia alta in ogni maglia eseguita sulla riga precedente. Alla fine della riga, lavorate l'ultima maglia in quella in cima alla catenella per voltare.

Mezza maglia alta

LA MAGLIA ALTA

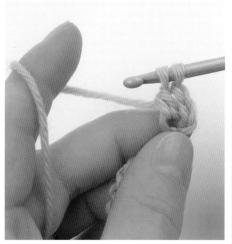

4 Alla fine della riga, eseguite tre catenelle per la catenella per voltare e voltate.

1 Gettate il filo sull'uncinetto e inserite quest'ultimo dal davanti verso il dietro nel lavoro (se siete all'inizio della riga, inseritelo sotto l'asola in cima alla quarta catenella partendo dall'uncinetto). Estraete il filo attraverso la catenella lasciando tre asole sull'uncinetto.

2 Gettate il filo sull'uncinetto ed estraetelo attraverso le prime due asole sull'uncinetto in modo che ne rimangano due sull'uncinetto.

Maglia alta

3 Gettate il filo sull'uncinetto. Estraete il filo attraverso le due asole sull'uncinetto. Rimarrà un'asola sull'uncinetto e si otterrà una maglia alta.

5 Saltate la prima maglia alta all'inizio della riga, gettate il filo sull'uncinetto, inseritelo dal davanti verso il dietro sotto le asole della seconda maglia sulla riga precedente e lavorate una maglia alta in ogni maglia eseguita sulla riga precedente. Alla fine della riga, lavorate l'ultima maglia in quella in cima alla catenella per voltare.

LA MAGLIA ALTA DOPPIA

1 Gettate il filo sull'uncinetto per due volte. Inserite l'uncinetto dal davanti verso il dietro nel lavoro (se siete all'inizio della riga, inseritelo sotto all'asola in cima alla quinta catenella partendo dall'uncinetto). Gettate il filo sull'uncinetto ed estraetelo lasciando quattro asole sull'uncinetto. Gettate di nuovo il filo sull'uncinetto.

3 Per chiudere la maglia, gettate di nuovo il filo sull'uncinetto ed estraete le due restanti maglie sull'uncinetto. Sull'uncinetto rimarrà un'asola. Procedete così per tutta la riga.

Maglia alta doppia

2 Procedendo come per la maglia alta (pagina a fianco), estraete il filo attraverso due maglie (tre asole sull'uncinetto), gettate di nuovo il filo ed estraete due maglie (due asole sull'uncinetto).

4 All'inizio della riga successiva e di tutte le seguenti, eseguite quattro catenelle per voltare, gettate due volte il filo sull'uncinetto e inseritelo nella seconda maglia della riga. Alla fine di ogni riga, lavorate l'ultima maglia in quella in cima alla catenella per voltare.

MISURARE LA TENSIONE

Il termine "tensione" si riferisce al numero di punti e righe contenute in un pezzo di una determinata larghezza e lunghezza di tessuto a uncinetto. Gli schemi per l'uncinetto consigliano anche la tensione adatta in base al filo che è stato usato per realizzare il pezzo illustrato. È importante rispettare la tensione consigliata affinché il vostro lavoro risulti delle giuste dimensioni.

Le indicazioni per la tensione in genere vengono date sottoforma di x punti e y righe per 10 cm misurati su un certo motivo di punti e usando un uncinetto di una determinata grandezza. Queste indicazioni possono riguardare anche uno o più motivi ripetuti. Lavorare rispettando la tensione suggerita vi permetterà inoltre di ottenere un tessuto né troppo duro e rigido, né troppo lento e floscio. Anche le fascette o le etichette presenti sui gomitoli a volte forniscono consigli sulla tensione oltre alle informazioni sulla composizione della fibra, sulla lunghezza e sulla conservazione. Cercate sempre di usare il filo indicato nelle spiegazioni per il modello che intendete realizzare. Due fili dello stesso peso e con lo stesso contenuto di fibra messi in commercio da produttori diversi varieranno leggermente di grossezza. La tensione può dipendere dal tipo di filo usato, dalla misura e dal marchio dell'uncinetto,

del motivo dei punti e dalla tensione prodotta da ogni singola persona. Nessuno impiega la stessa identica tensione nel lavoro a uncinetto, nemmeno utilizzando lo stesso uncinetto e lo stesso filo. La tensione varierà in base a come impugnate l'uncinetto e alla rapidità con cui il filo scorre tra le vostre dita. Il tessuto a uncinetto ha meno elasticità di un tessuto a maglia paragonabile, quindi è fondamentale preparare e misurare un campione per verificare la tensione prima di iniziare qualsiasi pezzo. Gli accessori (borsette, copricapi) e gli oggetti per l'arredamento (copricuscino, orli in pizzo) spesso presentano una tensione maggiore di sciarpe, indumenti e copriletto che devono risultare invece più morbidi e con un drappeggio migliore.

ESEGUIRE E MISURARE UN CAMPIONE

Leggete le indicazioni del modello per individuare la tensione consigliata. Lavorando con lo stesso filo che userete per il pezzo, preparate un campione abbastanza grande, largo 15-20 cm. Se state eseguendo un motivo particolare, scegliete un numero di catenelle di base necessario per la ripetizione del motivo. Ripetete il motivo fino a quando il pezzo sarà lungo 15-20 cm. Affrancate il filo. Mettete in forma il campione usando il metodo adatto alla composizione di quel filato e fatelo asciugare.

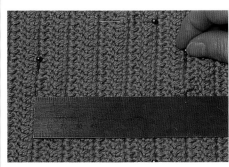

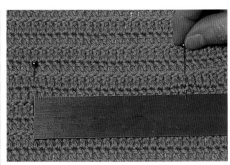

Quasi tutti i gomitoli di filo presentano delle fascette riportanti informazioni riguardo la tensione consigliata.

Vedi anche: **stirare e mettere in forma, pag. 26**

1 Mettete il campione con il dritto verso l'alto su una superficie piatta e con un righello o un metro a nastro misurate 10 cm in senso orizzontale, lungo una riga di maglie. Contrassegnate quest'area inserendo due spilli distanti tra loro 10 cm esatti. Prendete nota del numero di maglie (comprese quelle parziali) tra gli spilli. Questo sarà il numero di maglie corrispondenti a 10 cm.

2 Voltate il campione. Procedendo allo stesso modo, misurate 10 cm lungo le righe, inserendo di nuovo due spilli distanti tra loro 10 cm esatti. Prendete nota del numero di righe (comprese quelle parziali) tra gli spilli. Questo sarà il numero di righe corrispondente a 10 cm.

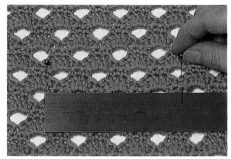

3 Se state eseguendo un motivo particolare, le informazioni sulla tensione potrebbero venirvi fornite sottoforma di multiplo dello schema ripetuto piuttosto che come un determinato numero di righe e maglie. Eseguite il campione del motivo ma questa volta contate le ripetizioni invece delle righe e delle maglie tra gli spilli.

COME REGOLARE LA TENSIONE

Se avete troppe maglie, o una ripetizione minore del motivo tra gli spilli inseriti nel vostro campione, la tensione è eccessiva, quindi dovete realizzarne un altro usando un uncinetto di una misura più grande.

Se avete meno punti, o una ripetizione maggiore del motivo tra gli spilli inseriti nel vostro campione, la tensione è troppo lenta, quindi dovete realizzarne un altro usando un uncinetto di una misura inferiore.

Mettete in forma il nuovo campione come prima e misurate la tensione allo stesso modo. Ripetete questo procedimento fino a quando otterrete la tensione corrispondente a quella indicata nel modello.

PARAGONARE LA TENSIONE

Questi tre campioni mostrano 20 maglie e nove righe di maglia alta eseguiti con un filo della stessa grossezza e con uncinetti di diverse misure. Oltre a modificare la grandezza del campione, il tipo di uncinetto determina la morbidezza e la sensazione al tatto del tessuto. Il primo campione è duro e rigido, il terzo è lento e floscio mentre il secondo è solido ma comunque con una buona morbidezza.

1 *Filato per maglieria ritorto a 2 capi lavorato con un uncinetto di 3 mm.*

2 *Filato per maglieria ritorto a 2 capi lavorato con un uncinetto di 4 mm.*

3 *Filato per maglieria ritorto a 2 capi lavorato con un uncinetto di 5,5 mm.*

CAMBIARE O GIUNTARE IL FILO

Esistono diversi metodi per cambiare colore o giuntare il filo nel lavoro a uncinetto. La scelta è dettata dal giuntare il filo dello stesso colore o dal cambiamento di colore.

Se state lavorando con un solo colore e dovete giuntare il filo, fatelo alla fine della riga piuttosto che al centro, in modo da rendere meno evidente questo inserimento. Potete inserirlo alla fine della riga facendo una maglia incompleta e usando il nuovo filo per chiuderla. In alternativa unite il nuovo filo all'inizio della riga usando il metodo della maglia bassissima illustrato sotto. Se state lavorando un motivo a più colori, per ottenere un cambiamento di colore non chiudete le ultime due maglie, fate un gettato nel nuovo colore e chiudete la maglia.

CAMBIARE O GIUNTARE IL FILO NELLA MAGLIA BASSA

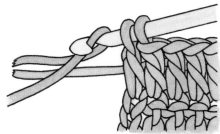

1 Inserite il nuovo colore alla fine dell'ultima riga eseguita con quello precedente. Per eseguire l'ultima maglia, fate un gettato con il filo vecchio in modo che risultino due asole sull'uncinetto, gettate il nuovo filo sull'uncinetto ed estraetelo attraverso le due asole sullo stesso.

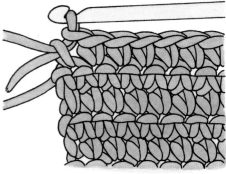

2 Voltate ed eseguite la riga successiva con il nuovo colore. Potrebbe risultarvi più facile annodare i due capi prima di tagliare il filo che non vi serve più, lasciando un'estremità di 10 cm circa. Disfate sempre il nodo prima di fissare i capi del filo.

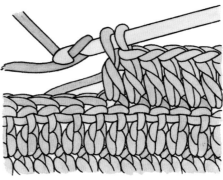

3 Se state eseguendo dei motivi a più colori, inserite il nuovo colore nel punto indicato nel modello o nello schema. Lasciate incompleta l'ultima maglia eseguita nel colore precedente e procedete come sopra.

CAMBIARE O GIUNTARE IL FILO NELLA MAGLIA ALTA

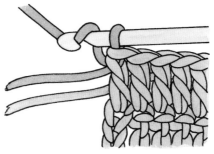

1 Inserite il nuovo colore alla fine dell'ultima riga eseguita con quello precedente. Lasciando incompleta l'ultima fase della maglia, gettate il nuovo filo sull'uncinetto ed estraetelo attraverso le asole su di esso per ultimare la maglia.

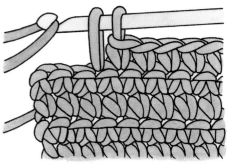

2 Se state eseguendo dei motivi a più colori, inserite il nuovo colore nel punto indicato nel modello o nello schema. Lasciate incompleta l'ultima maglia eseguita nel colore precedente e procedete come sopra.

CAMBIARE O GIUNTARE IL FILO USANDO LA MAGLIA BASSISSIMA

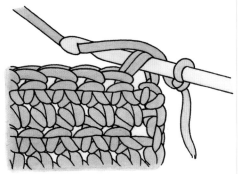

Questo metodo si può utilizzare per qualsiasi punto. All'inizio della riga, realizzate un'asola iniziale con il nuovo filo e sistematela sull'uncinetto. Inserite l'uncinetto nella prima maglia della riga ed eseguite una maglia bassissima con il nuovo filo attraverso la maglia e l'asola iniziale. Proseguite lungo tutta la riga usando il nuovo filo.

AFFRANCARE IL FILO

È molto semplice affrancare il filo una volta ultimato un lavoro a uncinetto. Ricordatevi però di non tagliarlo troppo vicino al pezzo perché ve ne servirà abbastanza per fermarne il capo.

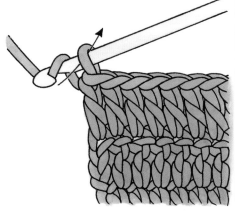

1 Tagliate il filo a 15 cm circa dall'ultimo punto. Gettate il filo sull'uncinetto ed estraetene il capo attraverso l'asola sull'uncinetto.

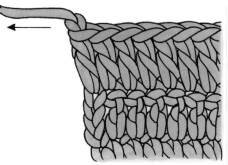

2 Tiratelo delicatamente per stringere l'ultimo punto. Fermate il capo del filo sul rovescio del lavoro come illustrato sotto.

SISTEMARE I CAPI DEL FILO

È importante assicurare bene i capi del filo affinché il lavoro non si disfi una volta indossato o durante il lavaggio. Cercate di farlo nel modo più preciso possibile in modo che non sia visibile dalla parte anteriore del pezzo.

AFFRANCARE UN CAPO DEL FILO AL BORDO SUPERIORE

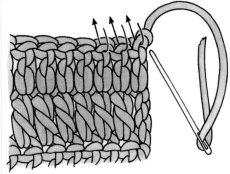

Per affrancare un capo del filo al bordo superiore di un lavoro a uncinetto, iniziate a infilarlo in un ago da lana. Fate passare il filo attraverso più punti sul rovescio del lavoro, lavorando su un punto alla volta. Recidete il filo che avanza.

AFFRANCARE UN CAPO DEL FILO AL BORDO INFERIORE

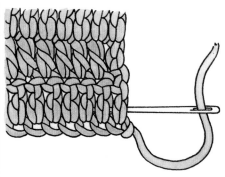

Per affrancare un capo del filo al bordo inferiore di un lavoro a uncinetto, iniziate a infilarlo in un ago da lana. Fate passare l'ago attraverso più punti sul rovescio del lavoro e recidete il filo che avanza.

AFFRANCARE I CAPI DEL FILO SU UN MODELLO A RIGHE

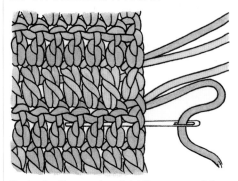

Se dovete affrancare i capi del filo su un modello a righe o se avete usato più di un filo colorato, bisogna fare un po' più di attenzione ed evitare che i colori appaiano sul dritto. Sciogliete il nodo che fissa i due capi del filo, infilate l'ago con un colore e fissate il capo nel rovescio dello stesso colore della striscia. Ripetete con il secondo colore.

LEGGERE I MOTIVI E I DIAGRAMMI

Esistono diversi tipi di schemi per l'uncinetto. Per quelli scritti è necessario seguire le spiegazioni riga per riga. Queste spiegazioni possono apparire anche sottoforma di diagrammi che accompagnano la parte scritta o la sostituiscono del tutto. Per l'uncinetto filet, in genere, il disegno viene rappresentato su una tabella in bianco e nero che indica la posizione delle maglie e degli spazi che lo compongono. Gli schemi jacquard e a intarsio hanno dei particolari diagrammi in cui ogni maglia è rappresentata da un quadretto colorato, come per i disegni del punto croce.

CAPIRE LE SPIEGAZIONI SCRITTE

In un primo momento, la terminologia dell'uncinetto può risultare piuttosto complicata. La cosa più importante da fare quando si segue un motivo è assicurarsi di iniziare con il numero giusto di maglie nella riga o nell'anello di base e di lavorare seguendo alla lettera le spiegazioni.

In uno schema scritto, le **parentesi quadre (1)** e gli **asterischi (2)** vengono usati per abbreviare il testo ed evitare noiose ripetizioni. Le spiegazioni possono essere formulate in modo leggermente diverso a seconda di come vengono usate le parentesi quadre e gli asterischi ed entrambi possono comparire insieme, nella stessa riga dello schema di un disegno complesso. La sequenza di punti racchiusa tra le parentesi quadre va eseguita come indicato. Per esempio [1 m.a. nelle 2 m. succ., 2 cat.] 3 volte vuol dire che eseguirete tre maglie alte e due catenelle per tre volte in tutto. Questa spiegazione potrebbe anche presentarsi in questo modo: *1 m.a. nelle 2 m. succ., 2 cat.; rip. da * 3 volte. Il messaggio è sempre lo stesso ma è stato formulato in modo

Vedi anche: **uncinetto filet, pag. 54**
uncinetto jacquard, pag. 66
uncinetto a intarsio, pag. 68
abbreviazioni e simboli, pag. 148

CERCHIO IN UN QUADRATO

Filo: filo in tinta unita.

Anello di base: 6 cat. unite con 1 m.bss. nella 1ª cat.

1° Giro: 3 cat. (equivalenti a 1 m.a.), lavorate 15 m.a. nell'anello, unite con 1 m.bss. nella 3ª delle 3 cat. (16 m.a.).

2° Giro: 5 cat. (equivalenti a 1 m.a., 2 cat.), [1 m.a. nella m.a. succ., 2 cat.] 15 volte, unite con 1 m.bss. nella 3ª delle 5 cat.

3° Giro: 3 cat., 2 m.a. nello sp. di 2 cat., 1 cat., [3 m.a., 1 cat] in ogni sp. di 2 cat., unite con 1 m.bss. nella 3ª delle 3 cat.

4° Giro: * [3 cat, 1 m.b. nello sp. succ.] 3 volte, 6 cat. (sp. per l'angolo), 1 m.b. nello sp.di.1 cat. succ.; rip. da * fino alla fine, unite

---

leggermente diverso. Gli asterischi possono essere presenti anche nelle spiegazioni che riguardano l'esecuzione delle maglie restanti dopo l'ultima ripetizione completa di una sequenza realizzata. Per esempio "rip.da * fino alla fine, terminando con 1 m.a. Nelle ultime 2 m., volt." significa che vi sono rimasti due punti alla fine della riga dopo aver eseguito l'ultima ripetizione. In questo caso, eseguite una maglia alta nelle ultime due maglie prima di voltare per iniziare la riga successiva.

Nelle spiegazioni scritte vengono usate anche le **parentesi tonde (3)**. Generalmente contengono delle informazioni aggiuntive e non operazioni da eseguire. Per esempio, riga 1: (DL) significa che il dritto del lavoro è rivolto verso di voi mentre eseguite questa riga. Le parentesi tonde vengono usate anche per indicare il numero delle varie

taglie in cui è stato realizzato il capo nonché i diversi numeri di maglie. In questo caso è utile leggere bene lo schema e sottolineare i numeri corrispondenti per avere una visione più chiara. Racchiuso tra le parentesi tonde alla fine di una riga o di un giro potreste trovare anche una cifra indicante il numero totale di maglie eseguite in quella particolare riga o in quel giro. Per esempio (12 m.a.) Alla fine di un giro significa che in quel giro avete eseguito 12 maglie alte.

Ogni motivo eseguito a righe viene scritto usando un numero specifico per ogni riga e la sequenza viene ripetuta fino a quando il pezzo ha raggiunto la lunghezza opportuna. Se state realizzando un motivo complicato e dovete interrompere il lavoro, prendete sempre nota della riga esatta su cui state lavorando.

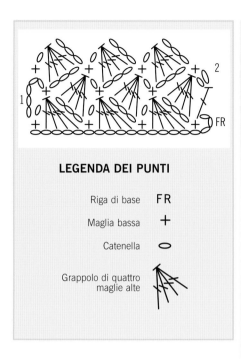

LEGENDA DEI PUNTI

Riga di base	FR
Maglia bassa	+
Catenella	o
Grappolo di quattro maglie alte	

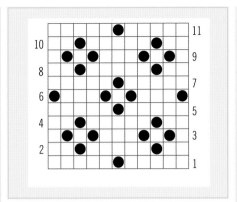

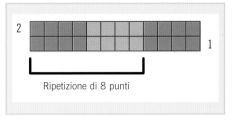

Ripetizione di 8 punti

LEGGERE I DIAGRAMMI

Alcuni motivi utilizzano dei diagrammi necessari a descrivere il metodo di lavoro illustrato. I simboli corrispondono alla varie maglie e a dove e come devono essere collocate in relazione una all'altra. Un diagramma contiene alcune spiegazioni scritte ma i tipi di punti vengono illustrati graficamente e non per iscritto riga per riga. Per usare un diagramma è necessario innanzitutto familiarizzarsi con i vari simboli. A pagina 148 troverete un elenco dei simboli usati nei relativi diagrammi. Essi vengono riportati anche in una legenda a fianco di ogni diagramma. Ogni simbolo rappresenta un'istruzione o un punto specifici e indica dove lavorare tale punto. Seguite la sequenza numerica nel diagramma se state lavorando per righe o giri.

LEGGERE GLI SCHEMI DELL'UNCINETTO FILET

Gli schemi dell'uncinetto filet sono numerati lateralmente così potete seguire la sequenza numerica dal basso verso l'alto, procedendo da un lato all'altro. Ogni quadratino vuoto sullo schema rappresenta uno spazio e ogni quadratino colorato rappresenta un gruppo di punti.

Le spiegazioni per l'uncinetto filet, jacquard e a intarsio vengono tutte illustrate su griglie o con quadrati colorati o con quadrati colorati e vuoti.

LEGGERE GLI SCHEMI A COLORI

I motivi jacquard e quelli a intarsio vengono rappresentati sottoforma di diagramma colorato su una griglia. Ogni quadretto colorato corrisponde a una maglia. Dovete sempre lavorare dal basso verso l'alto, leggendo le righe con i numeri dispari (righe sul dritto) da destra verso sinistra e quelle con i numeri pari (righe sul rovescio) da sinistra verso destra.

Iniziate a eseguire la catenella di base nel primo colore, quindi partendo dall'angolo in basso a destra dello schema, eseguite il motivo, aggiungendo nuovi colori se presenti nel disegno. Sulla prima riga, eseguite la prima maglia nella seconda catenella partendo dall'uncinetto, quindi lavorate a maglia bassa per il resto della riga.

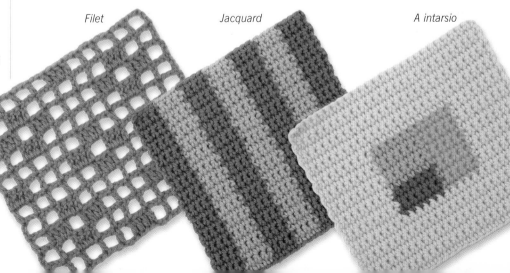

Filet   Jacquard   A intarsio

STIRARE E METTERE IN FORMA

Una leggera pressione effettuata sul rovescio del lavoro con un ferro da stiro molto tiepido è un'operazione che viene svolta spesso prima di cucire insieme i pezzi all'uncinetto. In alcuni casi però, come per le parti degli indumenti e i motivi decorativi, è necessario prestare più cura.

L'operazione di messa in forma prevede di sistemare e appuntare i pezzi lavorati nella giusta disposizione su un piano rivestito di tessuto, quindi di trattarli col vapore di un ferro da stiro o di inumidirli con dell'acqua fredda, in base alla fibra contenuta nel filato usato. Seguite sempre le indicazioni riportate sulla fascetta del gomitolo di filo poiché quasi tutte le fibre artificiali sono sensibili al calore e potrebbero rovinarsi. Nel dubbio, optate per il metodo con l'acqua fredda

illustrato nella pagina a fianco per fissare le fibre artificiali.

I filati composti per lo più da fibre naturali (cotone, lino e lana, ma non la seta che è più delicata) si possono mettere in forma con il vapore caldo. Un lavoro piuttosto grande, come una coperta o un copridivano in un unico pezzo (o composto da più motivi uniti tra loro) si può stirare con cura dal rovescio su un asse da stiro ben imbottito, effettuando un tocco leggero per evitare di appiattire i punti. Non trattate con il vapore o non stirate con il ferro caldo i lavori a uncinetto realizzati con i filati artificiali come il nylon o quelli acrilici. Finireste per appiattirli e rendere il filo floscio e spento. Usate invece un ferro molto tiepido o il metodo della messa in forma con l'acqua fredda illustrato

nella pagina a fianco. Per mettere in forma gli indumenti e svariati motivi separati è consigliabile creare il proprio asse per la messa in forma. Potete farlo senza spendere troppo, rivestendo un asse liscio da 60 x 90 cm (un pannello leggero di sughero è l'ideale) con uno o due strati di imbottitura per trapunte. Fermate l'imbottitura sul retro dell'asse con le graffette o le puntine, quindi copritela con un tessuto e assicuratelo allo stesso modo. Preferite un tessuto di cotone resistente al calore del ferro (sceglietelo con un motivo quadrettato che possa esservi utile per ottenere dei bordi dritti). Usate molti spilli inossidabili per appuntare i pezzi e assicuratevi che abbiano le teste in vetro e non di plastica altrimenti si scioglieranno a contatto con il calore. Quando appuntate dei pezzi lunghi, come orli o bordi, lavorate per sezioni e lasciatele asciugare perfettamente prima di passare a quella successiva.

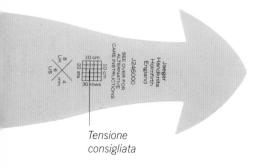

Tensione consigliata

Numero del colore e del bagno del colore

Peso e lunghezza del filato

Istruzioni per il lavaggio e la stiratura

Fibra contenuta nel filato

APPUNTARE I PEZZI

Appuntate i pezzi, infilando gli spilli attraverso il tessuto e l'imbottitura. Non lesinate sul numero di spilli lungo i bordi ma prima di inserirli, sistemate con cura il pezzo a uncinetto. A meno che non si tratti di un lavoro particolarmente in rilievo e ci sia bisogno di fissarlo per il dritto, potete scegliere voi su quale verso lavorare.

CONSIGLIO

Se pensate di mettere in forma più pezzi delle stesse dimensioni, per esempio dei moduli quadrati per realizzare un copriletto, è opportuno preparare un apposito asse in modo da poter appuntare sei o più pezzi alla volta. Segnate a matita i contorni di molti moduli nelle dimensioni precise su un pezzo di tessuto a tinta unita e di un colore chiaro, lasciando 5 cm circa tra un modulo e l'altro per facilitare la collocazione degli spilli. Usate il tessuto per rivestire l'asse per la messa in forma come descritto a sinistra.

METTERE IN FORMA LE FIBRE NATURALI

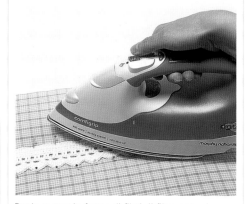

Per la messa in forma di filati di fibra naturale, tenete il ferro a vapore, impostato alla temperatura corretta per quel filo, a circa 2 cm dalla superficie a uncinetto e fate in modo che il vapore vi penetri per qualche secondo. Lavorate per sezioni e non appoggiate il ferro direttamente sul lavoro a uncinetto. Fate asciugare il pezzo prima di togliere gli spilli.

METTERE IN FORMA LE FIBRE ARTIFICIALI

Per mettere in forma i filati di fibra artificiale, appuntate i pezzi come descritto sopra, quindi usate uno spruzzatore spray per inumidire tutta la superficie del lavoro a uncinetto con l'acqua fredda, senza però inzupparla. Quando mettete in forma dei filati grossi, picchiettateli delicatamente con la mano per permettere all'acqua di penetrare più facilmente. Fate asciugare il pezzo prima di togliere gli spilli.

CUCITURE

Ci sono diversi modi per unire più pezzi, cucendoli o usando l'uncinetto. Scegliete lo stesso filo sia per il tessuto sia per le cuciture a meno che il vostro filo sia spesso o tipo fantasia (in questo caso usate un filo più fine e di un colore abbinato).

Una cucitura con punto indietro, punto catenella o maglia bassissima è resistente e adatta per unire bordi irregolari ma può risultare piuttosto grossa, a seconda della grossezza del filo. Queste tecniche sono adatte per cucire indumenti morbidi come maglioni invernali e giacche. Una cucitura classica dà una finitura più piatta poiché i bordi dritti vengono uniti tra loro. Questo metodo è più adatto per i lavori più fini e gli abitini per i neonati. Le cuciture a maglia bassa vengono usate per unire dei bordi dritti poiché risultano meno grosse delle prime tre citate sopra. Queste cuciture si possono effettuare anche sul dritto di un indumento, realizzandole con un filo di un colore contrastante per creare un motivo decorativo. Le ultime due tecniche a uncinetto, la cucitura con maglia bassa e punto catenella e la cucitura con maglia bassissima alternata danno una finitura più piatta dei metodi citati sopra e presentano il vantaggio di essere leggermente elastiche.

Vedi anche: **tecniche di base, pag. 12**

CUCITURA CON PUNTO INDIETRO

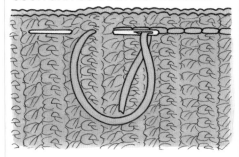

Collocate i pezzi da unire con il dritto uno di fronte all'altro e fissateli insieme con gli spilli, inserendo questi ultimi inclinati rispetto al bordo. Infilate un ago da lana con un filo di un colore abbinato ed eseguite una riga di punti indietro da destra verso sinistra, a distanza di uno o due punti dal bordo.

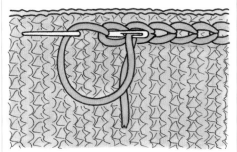

Si tratta della versione cucita della cucitura con la maglia bassissima illustrata a destra. Collocate i pezzi da unire combacianti per il dritto e fissateli insieme con gli spilli, inserendo questi ultimi inclinati rispetto al bordo. Infilate un ago da lana con un filo di un colore abbinato ed eseguite una riga di punti catenella da destra verso sinistra vicina al bordo.

CUCITURA CLASSICA

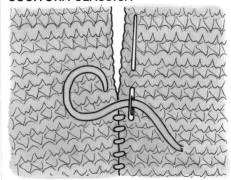

Mettete i pezzi da unire uno di fianco all'altro su una superficie piatta, con il rovescio rivolto verso l'alto e le estremità delle righe combacianti. Infilate un ago da lana con un filo abbinato ed eseguite una riga verticale di punti equidistanti con un movimento a zig zag morbido, da un bordo all'altro, aumentando delicatamente la tensione dei punti mentre proseguite in modo che i bordi si uniscano. Per la maglia bassa, riprendete un punto, per la maglia alta riprendetene mezzo.

CUCITURA A PUNTO STRETTO

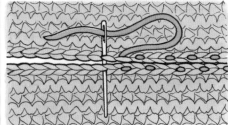

Mettete i pezzi da unire uno di fianco all'altro su una superficie piatta, con il rovescio rivolto verso l'alto e i bordi superiori combacianti. Infilate un ago da lana con un filo di un colore abbinato ed eseguite una riga orizzontale di punti equidistanti attraverso le catenelle. Lavorate da un bordo all'altro, aumentando la tensione dei punti mentre lavorate in modo da unire i bordi.

CUCITURA CON MAGLIA BASSISSIMA

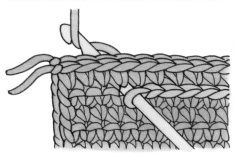

Si tratta della versione a uncinetto della cucitura con punto catenella illustrata a sinistra. Collocate i pezzi da unire combacianti per il dritto e fissateli insieme con gli spilli, inserendo questi ultimi inclinati rispetto al bordo. Tenendo il filo dietro al lavoro, fate passare l'uncinetto attraverso i due strati di tessuto, estraete un'asola attraverso i due pezzi e fatela scivolare sull'uncinetto. Ripetete lavorando da destra verso sinistra. Assicurate bene il capo del filo poiché la maglia bassissima si disfa facilmente.

CUCITURA CON MAGLIA BASSA

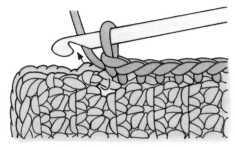

Posizionate i pezzi da unire in modo che combacino dal dritto per una cucitura invisibile o dal rovescio per una cucitura decorativa. Fissate i pezzi con gli spilli, inserendoli inclinati rispetto al bordo. Tenete il filo dietro al lavoro, fate passare l'uncinetto attraverso i pezzi ed eseguite una riga di maglie basse vicina al bordo. Distanziate i punti in modo che il lavoro risulti piatto senza che si tenda o si contragga.

MAGLIA BASSA ATTRAVERSO I BORDI SUPERIORI

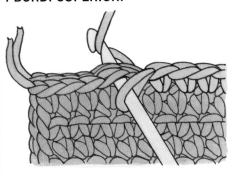

Posizionate i pezzi da unire in modo che combacino dal rovescio e i bordi superiori rimangano allineati. Fissate i pezzi con gli spilli, inserendoli inclinati rispetto al bordo. Tenete il filo dietro al lavoro, fate passare l'uncinetto attraverso le catenelle corrispondenti su entrambi i pezzi ed eseguite una riga di maglie basse attraverso le catenelle.

CUCITURA CON MAGLIA BASSA E PUNTO CATENELLA

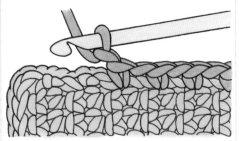

Collocate i pezzi da unire combacianti per il dritto e fissateli insieme con gli spilli, inserendo questi ultimi inclinati rispetto al bordo. Tenete il filo dietro al lavoro, fate passare l'uncinetto attraverso i pezzi ed eseguite una maglia bassa all'inizio della cucitura. Eseguite una catenella, quindi un'altra maglia bassa poco distante dalla prima. Ripetete allo stesso modo lungo il bordo, alternando le magli basse e le catenelle e terminando con una maglia bassa.

CUCITURA CON MAGLIA BASSISSIMA ALTERNATA

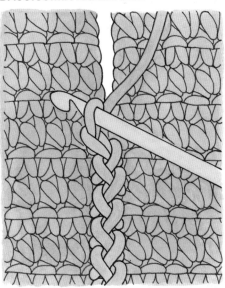

Mettete i pezzi da unire uno di fianco all'altro su una superficie piatta, con il rovescio rivolto verso l'alto e le estremità delle righe combacianti. Eseguite una maglia bassissima in corrispondenza dell'angolo in fondo del pezzo a destra, quindi eseguitene un'altra nella maglia corrispondente sul pezzo di sinistra. Continuate a eseguire delle maglie bassissime lungo la cucitura, alternandole da una parte all'altra.

Capitolo 2

TECNICHE E PUNTI

Questo capitolo illustra le tecniche di lavoro a uncinetto più complesse, tra cui la lavorazione in tondo, i pezzi colorati, il filet e la realizzazione di vari decori, bordure e bordi. Per tutta la sezione troverete anche la "raccolta di punti" contenente campioni e spiegazioni scritte e schemi di svariati lavori traforati e punti in rilievo.

MOTIVI A RIGHE

Per dare un tocco in più a un lavoro a uncinetto realizzato con uno dei punti di base basta eseguire delle righe colorate. Semplici strisce orizzontali in due, tre o più colori conferiscono più dinamismo a un indumento o un accessorio in tinta unita.

Le righe possono presentare colori fortemente in contrasto tra loro oppure si può ottenere un effetto più tenue usando tonalità diverse di uno stesso colore, oppure ancora un colore di base con uno o più toni abbinati. La maglia bassa, la mezza maglia alta e la maglia alta consentono tutte di ottenere piacevoli effetti rigati. Realizzare delle strisce fantasia è un metodo divertente per riutilizzare gli avanzi da altri lavori. Potete usare pezzetti di filo di diverse lunghezze in base alla larghezza del pezzo che state realizzando. In genere però, le strisce fantasia sono più belle quando il colore viene cambiato ad ogni riga. Scegliete dei filati con peso e fibra simili quando realizzate degli indumenti, mentre per gli accessori e il copricuscino potete combinare diverse grossezze e texture.

ESEGUIRE LE RIGHE SENZA TAGLIARE IL FILO

Invece di tagliare il filo ogni volta che cambiate colore, potete lasciare i fili che non state utilizzando a lato del lavoro mentre eseguite i motivi a righe. Oltre a procedere più velocemente, avrete meno fili da sistemare alla fine del lavoro. Potete farlo quando state eseguendo un motivo rigato con un numero di righe pari, usando due colori.

Vedi anche: **tecniche di base, pag. 12
cambiare o giuntare il filo, pag. 22**

ESEGUIRE RIGHE STRETTE SENZA TAGLIARE IL FILO

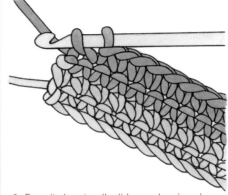

1 Eseguite la catenella di base e le prime due righe usando il colore A. Passate al colore B senza tagliare il filo A e realizzate l'ultima maglia, lasciando due asole di filo B sull'uncinetto.

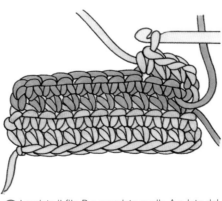

2 Lasciate il filo B e prendete quello A a lato del lavoro. Completate la maglia con il filo A, voltate ed eseguite le due righe successive usando il colore A.

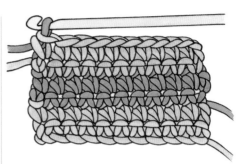

3 Alla fine della seconda riga nel colore A, lasciate il filo A e continuate a lavorare con B. Ripetete le strisce a due righe, alternando i colori.

ESEGUIRE STRISCE LARGHE SENZA TAGLIARE IL FILO

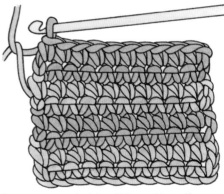

Se state eseguendo dei motivi con strisce più larghe con un numero di righe pari, lasciate il filo che non state utilizzando a lato del lavoro, ma attorcigliate i due fili tra loro ogni due righe per evitare di avere delle grandi asole lungo il bordo.

RACCOLTA DI PUNTI

STRISCE CASUALI

Lavorate a righe di mezza maglia alta, le strisce presentano ampiezze diverse e sono disposte in una sequenza cromatica completamente casuale. Eseguite più righe con il colore A, quindi proseguendo con la stessa maglia, cambiate i colori a caso dopo aver eseguito una, due, tre o più righe.

RIGHE RIPETUTE

Eseguite delle righe di maglia bassa; le strisce presentano ampiezze diverse e si ripetono seguendo una determinata sequenza. Eseguite due righe con il colore A, quattro con B, quattro con C e due D, quindi ripetete la sequenza cromatica dall'inizio. Questo tipo di disposizione viene definito anche motivo striato a sequenza.

STRISCE FANTASIA

Iniziate ad avvolgere tutti i pezzetti di filo in un gomitolo e annodatene insieme i capi, circa 2 cm dall'estremità, mischiando i colori a caso. Eseguite delle righe di maglia alta, spingendo i nodi attraverso il rovescio mentre lavorate stabilendo prima voi quale preferite sia il dritto del lavoro.

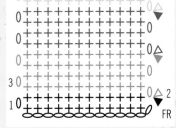

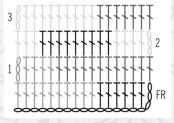

LEGENDA DEI PUNTI

Riga di base   **FR**

Catenella   ⊙

Maglia bassa   +

Mezza maglia alta   T

Maglia alta   ⊥

Cambio di colore   ◆▽

Questo schema è solo un possibile esempio per realizzare le vostre strisce fantasia. Potete cambiare texture e colori quando lo desiderate.

MAGLIA IN COSTA

A meno che non venga indicato diversamente in un particolare schema, in genere quasi tutti i punti vengono eseguiti portando l'uncinetto sotto le due asole delle maglie realizzate nella riga precedente. Lavorando solo sotto un'asola, quella davanti o dietro al punto, l'asola esclusa diventa un rilievo orizzontale e anche il lavoro a uncinetto più semplice assume caratteristiche e aspetto diversi.

LAVORARE LA MAGLIA BASSA IN COSTA DAVANTI

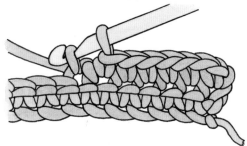

Per lavorare in costa davanti in una riga di maglie basse, entrate con l'uncinetto solo sotto alle asole davanti della riga precedente.

LAVORARE LA MAGLIA ALTA IN COSTA DAVANTI

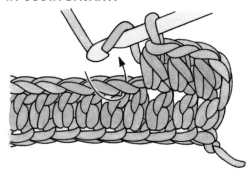

Procedete come per la maglia bassa. I rilievi prodotti sulla maglia alta sono meno evidenti di quelli sulla maglia bassa.

Vedi anche: **tecniche di base, pag. 12**

LAVORARE LA MAGLIA BASSA IN COSTA DIETRO

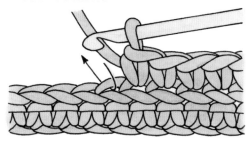

Lavorando nell'asola dietro di una maglia bassa si ottiene un tessuto dai rilievi particolarmente evidenti. Per lavorare in costa dietro in una riga di maglie, inserite l'uncinetto solo sotto le asole dietro dei punti sulla riga precedente.

LAVORARE LA MAGLIA ALTA IN COSTA DIETRO

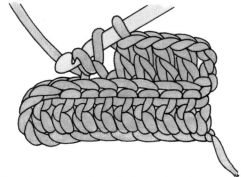

Procedete come per la maglia bassa. Quando state eseguendo un pezzo in tinta unita a maglia alta in costa dietro o davanti di ogni punto, potreste notare che i bordi del lavoro diventano instabili ed elastici. Per evitare questo effetto, cercate di lavorare in entrambe le asole della prima e dell'ultima maglia su ogni riga.

RACCOLTA DI PUNTI

LEGENDA DEI PUNTI

Riga di base	FR
Catenella	o
Maglia bassa	+
Maglia alta	⊺
Maglia alta in costa davanti	⊺
Maglia alta in costa dietro	⊺
Maglia bassa in costa davanti	⊹
Maglia bassa in costa dietro	⊼

COSTE LARGHE

Questo modello ha il dritto a coste e il rovescio liscio. Il dritto presenta coste piuttosto delicate, molto distanti tra loro.

Catenella di base: avviate un numero qualsiasi di catenelle più 3.

Riga di base: (DL) 1 m.a. nella 4ª cat. dall'uncinetto, 1 m.a. in tutte le cat. fino alla fine, volt.

1ª Riga: 3 cat., 1 m.a. in costa davanti di tutte le m.a. restanti della r. prec., finendo con 1 m.a. nella 3ª delle 3 cat., volt.

2ª Riga: 3 cat., 1 m.a. in tutte le asole di tutte le m.a. restanti della r. prec., finendo con 1 m.a. nella 3ª delle 3 cat., volt. rip. la 1ª e la 2ª riga per la lunghezza necessaria, finendo con una 1ª riga.

FINTA LAVORAZIONE A COSTE

Questa maglia somiglia a quella della lavorazione a coste ai ferri e si presenta identica su entrambi i lati. Può essere effettuata a fasce strette per risvolti e bordi oppure si può utilizzare come un vero e proprio motivo.

Catenella di base: avviate un numero qualsiasi di catenelle più 1.

Riga di base: 1 m.b. nella 2ª cat. dall'uncinetto, 1 m.b. in tutte le cat. fino alla fine, volt.

1ª Riga: 1 cat., 1 m.b. nell'asola in costa dietro di ogni m.b. della r. prec., volt.

Rip. la 1ª riga per la lunghezza necessaria.

COSTE SEMPLICI

Si ottengono facilmente alternando righe di maglia alta e bassa eseguite in costa davanti e dietro. Questo modello ha il dritto a coste e il rovescio liscio. Stabilite voi quale preferite come dritto del lavoro.

Riga di base: avviate un numero qualsiasi di catenelle più 3.

Riga di base: (DL) 1 m.a. nella 4ª cat. dall'uncinetto, 1 m.a. in tutte le cat. fino alla fine, volt.

1ª Riga: 3 cat., 1 m.a. in costa davanti di tutte le m.a. della r. prec., finendo con 1 m.a. nella 3ª delle 3 cat., volt.

2ª Riga: 1 cat., 1 m.b. in costa dietro di ogni m.a. della r. prec., finendo con 1 m.b. nella 3ª delle 3 cat., volt.

3ª Riga: 1 cat., 1 m.b. in costa davanti di tutte le m.b. della r. prec., volt.

4ª Riga: 3 cat., 1 m.a. in costa dietro di tutte le m.b. della r. prec., volt.

Rip. dalla 1ª alla 4ª riga per la lunghezza necessaria, finendo con una 2ª riga.

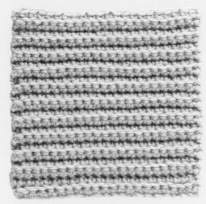

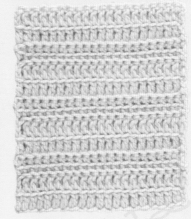

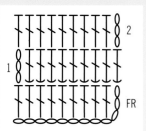

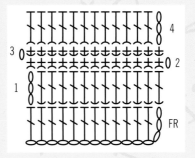

AUMENTI E DIMINUZIONI

Ci sono diverse maniere di dare forma alle vostre creazioni all'uncinetto, aumentando e diminuendo il numero delle maglie.

Il modo più semplice consiste nell'aggiungere o sottrarre di tanto in tanto una o due maglie in tutta la riga. Si tratta del procedimento degli aumenti e delle diminuzioni interni. Quando un gruppo di maglie viene aggiunto o sottratto all'inizio e alla fine di determinate righe, si parla di aumenti o diminuzioni esterni. Questi metodi si possono utilizzare con il punto basso, il mezzo punto alto, il punto alto e il punto alto doppio.

ESEGUIRE UN AUMENTO INTERNO

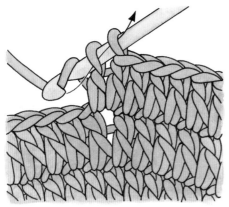

1 Il modo più semplice per eseguire un aumento singolo (aggiungendo un unico punto) a intervalli in tutta la riga, consiste nell'eseguire due maglie in una della riga precedente.

Vedi anche: **tecniche di base, pag. 12**

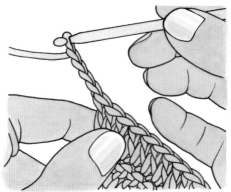

2 Per eseguire un aumento doppio (per aggiungere due maglie) a intervalli in tutta la riga, lavorate tre maglie in una della riga precedente.

ESEGUIRE UN AUMENTO ESTERNO

1 Per fare aumenti di più maglie in una sola volta, sarà necessario aggiungere delle catenelle volanti all'estremità opportuna della riga. Per aggiungere delle maglie all'inizio di una riga, avviate il numero necessario di catenelle in più alla fine della riga precedente. Non scordatevi di aggiungere il numero corretto di catenelle per voltare per il tipo di maglia che state usando.

2 Voltate e rilavorate sulle catenelle in più, quindi lavorate la riga nel modo consueto.

3 Per aggiungere delle maglie alla fine di una riga, non chiudete le ultime maglie della riga. Ritraete l'uncinetto. Aggiungete un pezzetto di filo all'ultimo punto della riga ed avviate il numero necessario di catenelle in più, quindi fissate il filo. Rientrate con l'uncinetto nella riga e continuate, lavorando anche le catenelle appena avviate. Voltate ed eseguite la riga successiva come di consueto.

ESEGUIRE UNA DIMINUZIONE INTERNA

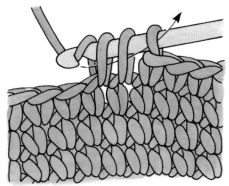

1 Diminuite una maglia bassa lavorando due maglie insieme (2 m.b. ins.) Non chiudete la prima maglia, in modo da avere due asole sull'uncinetto, quindi estraete il filo attraverso la maglia successiva così da avere tre asole su di esso. Un gettato ed estraete tutte e tre le maglie per completare la diminuzione. Si possono diminuire due maglie allo stesso modo lavorando tre maglie insieme (3 m.b. ins.).

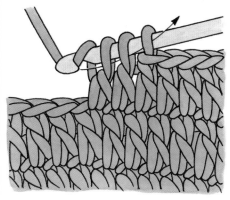

2 Diminuite una maglia alta lavorando due maglie insieme (2 m.a. ins.). Non chiudete la prima maglia in modo da avere due asole sull'uncinetto, quindi eseguitene un'altra senza chiuderla per avere tre asole sull'uncinetto. Un gettato ed estraete tutte e tre le maglie per completare la diminuzione. Si possono diminuire due maglie allo stesso modo eseguendo tre maglie alte insieme (3 m.a. ins.).

ESEGUIRE UNA DIMINUZIONE ESTERNA

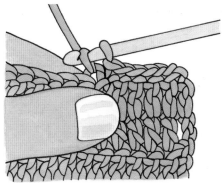

Per fare diminuzioni di più maglie in una sola volta all'inizio di una riga, voltate, lavorate una maglia bassissima in tutte le maglie da diminuire, poi eseguite la catenella per voltare opportuna e proseguite lungo la riga. Alla fine della riga basta non chiudere le maglie da diminuire, voltate, eseguire la catenella per voltare opportuna e proseguite lungo la riga.

OTTENERE UN BORDO RIFINITO

Per ottenere un bordo rifinito all'inizio di una riga, eseguite la prima maglia e poi l'aumento. Alla fine della riga, lavorate fino a quando vi rimarranno due maglie (l'ultima probabilmente servirà per la catenella per voltare dalla riga precedente). Eseguite l'aumento nella penultima maglia, quindi realizzate l'ultima come di consueto.

▼ Lavorare 3 m.a. ins. al centro di ogni riga permette di ottenere un quadrato ad angolo a maglia bassa.

▲ Gli aumenti e le diminuzioni esterni vengono usati per aggiungere o sottrarre gruppi di punti all'inizio e alla fine delle righe.

◄ Gli aumenti e le diminuzioni interni vengono usati all'inizio e alla fine delle righe per dare forma ai bordi degli indumenti.

I GRAPPOLI

I grappoli sono gruppi di due, tre o più punti che si uniscono in alto lasciando l'ultima asola di ogni punto sull'uncinetto ed estraendo il filo attraverso tutte le maglie per chiuderle. Questa tecnica viene usata sia per la diminuzione di uno o più punti, sia per realizzare fantastici motivi con singoli grappoli a maglia alta.

ESEGUIRE UN GRAPPOLO DI BASE A MAGLIA ALTA

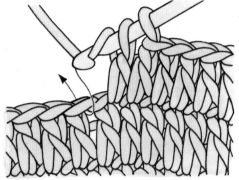

1 Per eseguire un grappolo a due maglie alte, filo sull'uncinetto, lavorate il primo punto, senza chiuderlo, in modo da avere due asole sull'uncinetto.

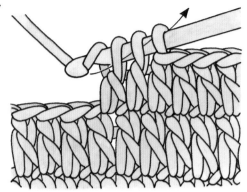

3 Gettate il filo sull'uncinetto ed estraetelo attraverso le tre maglie sull'uncinetto per completare il grappolo e chiudere le maglie.

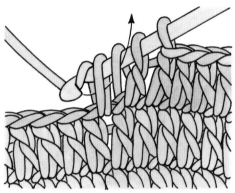

2 Lavorate l'ultimo punto del grappolo allo stesso modo, ottenendo così tre asole sull'uncinetto.

Vedi anche: **aumenti e diminuzioni, pag. 36**

CONSIGLIO

I grappoli possono avere grandezze diverse poiché si possono lavorare con due, tre o più punti. Iniziate ad esercitarvi con quelli a due punti e una volta imparato bene, passate a quelli più grandi.

RACCOLTA DI PUNTI

LEGENDA DEI PUNTI

Riga di base	FR
Maglia bassa	+
Catenella	o
Grappolo composto da 4 maglie alte	
Grappolo composto da 3 maglie basse	

GRAPPOLI ANGOLATI

I grappoli rivolti verso direzioni opposte, disposti su più righe, producono un meravigliosa trama per un lavoro a uncinetto. Per evidenziare le differenze, provate a eseguire questa maglia in strisce di due righe dai colori contrastanti.

Nota: grp. = grappolo costituito da quattro punti alti lavorati insieme (4 m.a. ins.)

Catenella di base: avviate un multiplo di 5 catenelle più 4.

Riga di base: (DL) 1 m.b. nella 4ª cat. dall'uncinetto, * 3 cat., grp sulle 4 cat. succ., 1 cat., 1 m.b. nella cat. succ.; rip. da * fino alla fine, volt.

1ª Riga: 5 cat., 1 m.b. nel grp. succ., * 3 cat., grp. nello sp. di 3 cat. succ., 1 cat., 1 m.b. nel grp. succ.; rip. da * finendo l'ultima rip. con 3 cat., grp. nello sp. di 3 cat. succ., 1 cat., 1 m.a. nell'ultima m.b., volt.

2ª Riga: 1 cat., salt. la prima m., 1 m.b. nel grp. succ., * 3 cat., grp. nello sp. di 3 cat. succ., 1 cat., 1 m.b. nel grp. succ.; rip. da * finendo l'ultima rip. con 1 m.b. nello sp. fatto da 5 cat., volt.

Rip. la 1ª e la 2ª riga per la lunghezza necessaria, finendo con una 2ª riga.

PUNTO TRINITY

Il punto trinity, in genere, viene lavorato in un colore e il pezzo realizzato si presenta identico sia sul dritto che sul rovescio risultando così l'ideale per la confezione di sciarpe, dove entrambi i lati sono visibili.

Nota: grp. = grappolo composto da tre punti bassi lavorati insieme (3 m.b. ins.)

Catenella di base: avviate un multiplo di 2 catenelle.

Riga di base: (RL) 1 m.b. nella 2ª cat. dall'uncinetto, grp. inserendo l'uncinetto prima nella stessa cat. come nella m.b. prec., poi nelle 2 cat. succ., * 1 cat., grp. inserendo l'uncinetto prima nella stessa cat. come la 3ª m. del grp. prec., poi nelle 2 cat. succ; rip. da * fino all'ultima cat., 1 m.b. nella stessa cat. come la 3ª m. del grp. prec., volt.

1ª Riga: 1 cat, 1 m.b. nella 1ª m., grp. inserendo l'uncinetto prima nella stessa maglia della m.b. prec., poi in cima al grp. succ., poi nello sp. di 1 cat. succ., * 1 cat., grp. inserendo l'uncinetto prima nello stesso sp. di 1 cat. come la 3ª m.del grp. prec., poi in cima al grp. succ., infine nello sp. di 1 cat.succ.; rip. da * per finire di lavorare la 3ª m. dell'ultimo grp. nell' ultima m.b., 1 m.b. nello stesso punto, volt.

Rip. la 1ª riga per la lunghezza necessaria.

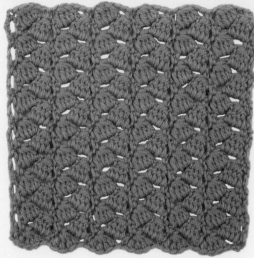

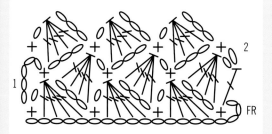

IL PUNTO CONCHIGLIA

I punti conchiglia sono costituiti da tre o più punti che partono dalla stessa catenella, maglia o spazio di catenella, formando un triangolo somigliante alla conchiglia di un mollusco. Generalmente, le catenelle o le maglie su entrambi i lati di una conchiglia vengono saltati per metterla in risalto. Più punti raggruppati all'interno di conchiglie vengono chiamati punti ventaglio.

ESEGUIRE UNA CONCHIGLIA DI BASE A MAGLIA ALTA

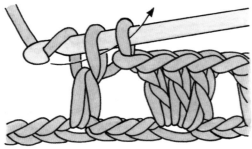

1 Saltate il numero di catenelle o maglie prestabilito e lavorate la prima maglia alta della conchiglia nella catenella o nella maglia indicate.

3 Lavorate i punti restanti della conchiglia nella stessa maglia di quelli precedenti.

2 Eseguite la seconda maglia alta del gruppo nella stessa maglia di quella precedente. Nella conchiglia a tre maglie illustrata, questa maglia costituisce il punto centrale.

Vedi anche: **tecniche di base, pag. 12**

CONSIGLIO

Quando per la prima riga di uno schema è necessario eseguire conchiglie piuttosto grandi direttamente nella catenella di base, è opportuno usare un uncinetto più grande per la catenella d'avvio.

RACCOLTA DI PUNTI

LEGENDA DEI PUNTI

Riga di base **FR**

Catenella ⌒

Maglia bassa **+**

Maglia alta

Conchiglia costituita da 7 maglie alte

CONCHIGLIE ALTERNATE

Questo punto a tinta unita ha righe di conchiglie a 7 punti alternate a spazi, divise da righe di maglia bassa. Eseguite questo punto con un colore omogeneo oppure usate un filo tinto a mano per ottenere un effetto più particolare.

Catenella di base: avviate un multiplo di 14 catenelle più 4.

Riga di base: (DL) 3 m.a. nella 4ª cat. dall'uncinetto, * salt. le 3 cat. succ., 1 m.b. nelle 7 cat. succ., salt. le 3 cat. succ., 7 m.a. nella cat. succ.; rip. da * finendo l'ultima rip. con 4 m.a. nell'ultima cat., volt.

1ª Riga: 1 cat., 1 m.b. nella prima m., 1 m.b. in tutte le m. della riga, finendo con 1 m.b. nella 3ª delle 3 cat. iniz. saltate, volt.

2ª Riga: 1 cat., 1 m.b. nelle prime 4 m., salt. le 3 m. succ., 7 m.a. nella m. succ., salt. Le 3 m. succ., 1 m.b. nelle 7 m. succ; rip. da * fino alle ultime 11 m., salt. le 3 m. succ., 7 m.a. nella m. succ., salt. le 3 m. succ., 1 m.b. nelle ultime 4 m., salt. 1 cat. per volt., volt.

3ª Riga: 1 cat., 1 m.b. nella prima m., 1 m.b. in tutte le m. della riga, salt. 1 cat. per volt., volt.

4ª Riga: 3 cat., 3 m.a. nella prima m., * salt. le 3 m. succ., 1 m.b. nelle 7 m. succ., salt. le 3 m. succ., 7 m.a. nella m. succ.; rip. da * finendo l'ultima rip. con 4 m.a. nell'ultima m., salt. 1 cat. per volt., volt.

5ª Riga: 1 cat., 1 m.b. nella prima m., 1 m.b. in tutte le m. della riga, finendo con 1 m.b. nella 3ª delle 3 cat., volt.

Rip. dalla 2ª alla 5ª riga per la lunghezza necessaria, finendo con una 5ª riga.

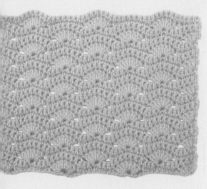

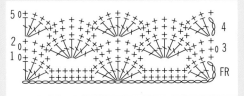

CONCHIGLIE GRANDI

Le grandi conchiglie di questo punto risultano dall'esecuzione di molte righe. Le delicate zone a rete d'Irlanda separano le conchiglie per dare un effetto traforato e alleggerire la composizione.

Catenella di base: avviate un multiplo di 13 catenelle più 4.

Riga di base: (DL) 1 m.a. nella 4ª cat. dall'uncinetto, 1 m.a. nelle 3 cat. succ., [2 m.a. ins. sulle 2 cat. succ.] 3 volte, 1 m.a. nelle 3 cat. succ., * 3 m.a. nelle 3 cat. succ., 1 m.a. nelle 3 cat. succ., [2 m.a. ins. sulle 2 cat. succ.] 3 volte, 1 m.a. nelle 3 cat. succ.; rip. da * fino all'ultima cat., 2 m.a. nell'ultima cat., volt.

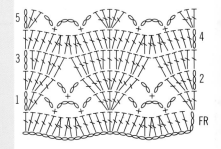

1ª Riga: 3 cat., 2 m.a. nella prima m.a., 2 cat., salt. le 3 m.a. succ., 1 m.b. nella m.a. succ., 4 cat., salt. le 3 m.a. succ., 1 m.b. nella m.a. succ., 2 cat, * salt. le 3 m.a. succ., 5 m.a. nella m.a. succ., 2 cat., salt. le 3 m.a. succ., 1 m.b. nella m.a. succ., 4 cat., salt. le 3 m.a. succ., 1 m.b. nella m.a. succ., 2 cat.; rip. da * fino alle ultime 3 m.a., salt. le ultime 3 m.a., 3 m.a. nelle 3 cat. Iniz. saltate, volt.

2ª Riga: 3 cat., 1 m.a. nella prima m.a., 2 m.a. nella m.a. succ., 1 m.a. nella m.a. succ., 2 cat, salt. lo sp. di 2 cat. succ., 1 m.b. nello sp. di 4 cat. succ., 2 cat., salt. la m.b. succ., 1 m.a. nella m.a. succ., 2 m.a. nella m.a. succ., * 3 m.a. nella m.a. succ., 2 m.a. nella m.a. succ., 1 m.a. nella m.a. succ., 2 cat., salt. lo sp. di 2 cat. succ., 1 m.b. nello sp. di 4 cat. succ., 2 cat., salt. la m.b. succ., 1 m.a. nella m.a. succ., 2 m.a. nella m.a. succ.; rip. da * fino alla cat. per volt., 2 m.a. nella 3ª delle 3 cat., volt.

3ª Riga: 3 cat.; [2 m.a. nella m.a. succ., 1 m.a. nella m.a. succ.] 2 volte, salt. la m.b. succ., 1 m.a. nella m.a. succ., * [2 m.a. nella m.a. succ., 1 m.a. nella m.a. succ.] 4 volte, salt. la m.b. succ., 1 m.a. nella m.a. succ.; rip. da * fino alle ultime 3 m.a., 2 m.a. nella m.a. succ., 1 m.a. nella m.a. succ., 2 m.a. nell'ultima m.a., 1 m.a. nella 3ª delle 3 cat., volt.

4ª Riga: 3 cat., 1 m.a. nelle prime 4 m.a., [2 m.a. ins. sulle 2 m.a. succ.] 3 volte, 1 m.a. nelle 3 m.a. succ., * 3 m.a. nella m.a. succ., 1 m.a. nelle 3 m.a. succ., [2 m.a. ins. sulle 2 m.a. succ.] 3 volte, 1 m.a. nelle 3 m.a. succ.; rip. da * fino alla cat. per volt., 2 m.a. nella 3ª delle 3 cat., volt.

5ª Riga: 3 cat., 2 m.a. nella prima m.a., 2 cat., salt. le 3 m.a., 1 m.b. nella m.a. succ., 4 cat., salt. le 3 m.a. succ., 1 m.b. nella m.a. succ., 2 cat, * salt. le 3 m.a. succ., 5 m.a. nella m.a. succ., 2 cat. salt. le 3 m.a. succ., 1 m.b. nella m.a. succ., 4 cat., salt. le 3 m.a. succ., 1 m.b. nella m.a. succ., 2 cat.; rip. da * fino alle ultime 3 m.a., salt. le ultime 3 m.a., 3 m.a. nella 3ª delle 3 cat., volt. Rip. dalla 2ª alla 5ª riga per la lunghezza necessaria, finendo con una 4ª riga.

I PETALI

Il petalo è un gruppo di maglie, in genere alte, lavorate nella stessa maglia di base e chiuse insieme. Quando fate il calcolo di quanto filo vi potrà servire per un lavoro, tenete presente che per i petali ne servirà di più che per molti altri punti.

Composti da tre, quattro o cinque maglie, i petali in genere vengono eseguiti sulle righe al rovescio e circondati da punti piatti a tinta unita per farli risaltare meglio.

ESEGUIRE UN PETALO DI BASE A CINQUE PUNTI

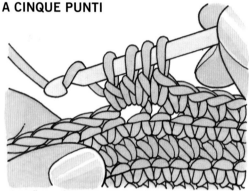

1 Sul rovescio di una riga, segnate la posizione del petalo. Gettate il filo sull'uncinetto ed eseguite il primo punto senza chiuderlo per avere così due asole sull'uncinetto. Lavorate il secondo e il terzo punto allo stesso modo. Ora sull'uncinetto ci sono quattro asole.

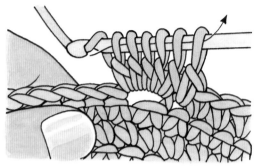

2 Eseguite i restanti due punti del petalo allo stesso modo, ottenendo così sei asole sull'uncinetto.

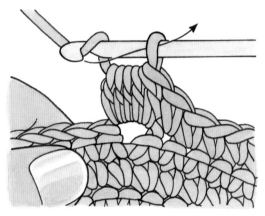

3 Gettate il filo sull'uncinetto ed estraetelo attraverso le sei asole per chiuderle e completare il petalo. Per facilitare questa operazione, spingetelo delicatamente con la punta di un dito attraverso il dritto.

CONSIGLIO

Quando eseguirete la riga successiva del dritto, fate in modo di eseguire una maglia in quella per fissare il lavoro in cima a ogni petalo.

RACCOLTA DI PUNTI

LEGENDA DEI PUNTI

Riga di base	F R
Catenella	o
Maglia bassa	+
Maglia alta	╬
Petalo composto da 4 maglie alte	
Direzione del lavoro	→

PETALI SU OGNI RIGA

I petali a quattro punti, in rilievo su uno sfondo a maglia bassa, producono una meravigliosa trama all'uncinetto. Questo punto è ottimo per confezionare biancheria per la casa (per esempio le federe dei cuscini) poiché produce un tessuto consistente che manterrà perfettamente la forma.

Nota: fp = fate un petalo costituito da quattro punti alti.

Catenella di base: avviate un multiplo di 3 catenelle.

Riga di base: (RL) 1 m.b. nella 2ª cat. dall'uncinetto, 1 m.b. in tutte le cat. fino alla fine, volt.

1ª Riga: (DL) 1 cat., 1 m.b. in tutte le m.b. fino alla fine, volt.

2ª Riga: (RL) 1 cat., 1 m.b. nelle prime 2 m.b., * fp, 1 m.b. nelle 2 m.b. succ.; rip. da * fino alla fine, volt.

3ª Riga: 1 cat., 1 m.b. in tutte le m. fino alla fine, volt.

4ª Riga: 1 cat., 1 m.b. in tutte le m.b. fino alla fine, volt.

Rip. dalla 1ª alla 4ª riga per la lunghezza necessaria, finendo con una 4ª riga.

PETALI ALTERNATI

Realizzate un tessuto più morbido lavorando una riga di punti alti tra le righe di petali invece della solita maglia bassa. Per ottenere un pezzo più piatto, basta fare petali di tre punti invece di quattro.

Nota: fp = fate un petalo costituito da quattro punti alti.

Catenella di base: avviate un multiplo di 4 catenelle più 3.

Riga di base: (DL) 1 m.a. nella 4ª cat. dall'uncinetto, 1 m.a. in tutte le cat. fino alla fine, volt.

1ª Riga: (RL) 1 cat., 1 m.b. nelle prime 2 m.a., * fp, 1 m.b. nelle 3 m.a. succ.; rip. da * fino alle ultime 3 m., fp, 1 m.b. nella m.a. succ., 1 m.b. nella 3ª delle 3 cat iniz. saltate, volt.

2ª e 4ª Riga: 3 cat. (equivalenti a 1 m.a.), salt. la prima m., 1 m.a. in ogni m. fino alla fine, volt.

3ª Riga: 1 cat., 1 m.b. nelle prime 4 m.a., * fp, 1 m.b. nelle 3 cat. succ.; rip. da * finendo con 1 m.a. nella 3ª delle 3 cat., volt.

5ª Riga: 1 cat., 1 m.b. nelle prime 2 m., * fp, 1 m.b. nelle 3 m.a. succ.; rip. da * fino alle ultime 3 m., fp, 1 m.b. m.a. succ., 1 m.b. nella 3ª delle 3 cat., volt.

Rip. dalla 2ª alla 5ª riga per la lunghezza necessaria, finendo con una 4ª riga.

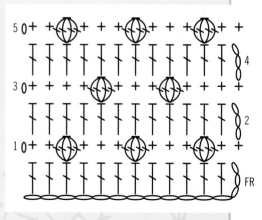

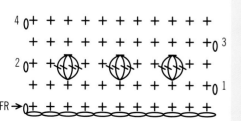

IL PUNTO GHIANDA

Un punto a ghianda è un grappolo di tre, quattro o cinque maglie alte completate, lavorate nella stessa maglia di base e chiuse in cima con una catenella. La ghianda somiglia a una minuscola tasca piegata che sporge sul dritto del lavoro a uncinetto, dando una trama molto evidente.

ESEGUIRE UN PUNTO GHIANDA DI BASE

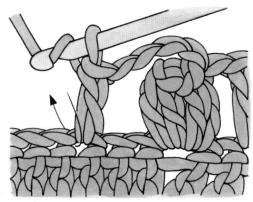

1 Eseguite un gruppo di cinque maglie alte nella stessa catenella o maglia.

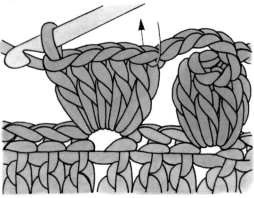

2 Sfilate l'uncinetto dall'asola aperta e inseritelo nella maglia iniziale del gruppo.

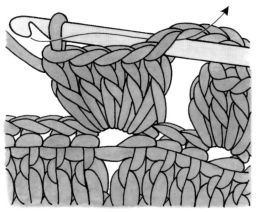

3 Per chiudere la ghianda, puntate l'uncinetto nell'asola in sospeso e ritraetelo per unire il gruppo di punti e chiuderlo in cima. Chiudete la ghianda gettando il filo sull'uncinetto ed estraendolo attraverso l'asola su di esso.

CONSIGLIO

Se lavorate molto stretto, potreste preferire un uncinetto più piccolo per i passaggi 2 e 3, ritornando a quello che usate di solito per eseguire il gruppo di punti alti.

Vedi anche: **tecniche di base, pag. 12**

RACCOLTA DI PUNTI

LEGENDA DEI PUNTI

Riga di base	F R
Catenella	o
Maglia bassa	+
Maglia alta	⊤
Ghianda di cinque maglie alte	

GHIANDE TRAFORATE

Questo punto presenta righe verticali di singole ghiande in risalto su un grazioso sfondo traforato. Per evidenziare ulteriormente la struttura delicata, usate un filato sottile.

Nota: gh = ghianda costituita da cinque punti alti.

Catenella di base: avviate un multiplo di 8 catenelle più 2.

Riga di base: (DL) 1 m.b. nella 2ª cat. dall'uncinetto, * 1 cat., salt. 3 cat., [1 m.a., 1 cat., 1 m.a., 1 cat., 1 m.a.] nella cat. succ., salt. 3 cat., 1 m.b. nella cat. succ.; rip. da * fino alla fine, volt.

1ª Riga: 6 cat. (equivalenti a 1 m.a., 3 cat.), salt. 1 m.a., 1 m.b. nella m.a. succ., * 3 cat., gh nella m.a. succ., 3 cat., salt. 1 m.a., 1 m.b. nella m.a. succ.; rip. da * fino all'ultima m.b., 3 cat., 1 m.a. nell'ultima m.b., volt.

2ª Riga: 1 cat., 1 m.b. nella prima m.a., * 1 cat. [1 m.a., 1 cat., 1 m.a., 1 cat., 1 m.a.] nella m.b. succ., 1 cat., 1 m.b. in cima alla gh succ.; rip. da * fino alla fine eseguendo l'ultima m.b. nella 3ª delle 6 cat., volt.

Rip. la 1ª e la 2ª riga per la lunghezza necessaria, finendo con una 2ª riga.

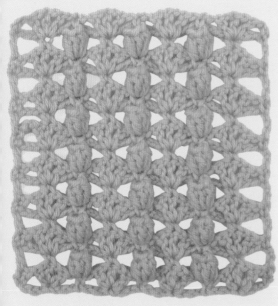

COLONNE DI GHIANDE

Le colonne di ghiande sono costituite da un punto molto più pesante del precedente ma consentono ancora di ottenere un tessuto con una buona morbidezza. Usate questo punto per confezionare copridivani e copertine laddove vogliate realizzare una superficie testurizzata.

Nota: gh = ghianda costituita da cinque punti alti.

Catenella di base: avviate un multiplo di 11 catenelle più 5.

Riga di base: (DL) 1 m.a. nella 4ª cat. dall'uncinetto, 1 m.a. nella cat. succ., * 2 cat., salt. le 3 cat. succ., gh nella cat. succ., 1 cat., gh nella cat. succ., 1 cat., salt. le 2 cat. succ., 1 m.a. in tutte le 3 cat. succ.; rip. da * fino alla fine, volt.

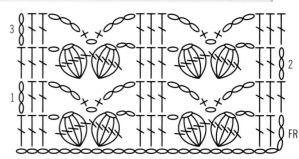

1ª Riga: 3 cat., salt. la 1ª m.a., 1 m.a. nelle 2 m.a. succ., * 3 cat., salt. 1 cat. e gh succ., 2 m.b. nello sp. di 1 cat. tra le gh, 3 cat., salt. gh succ. e 2 cat., 1 m.a. nelle 3 m.a. succ; rip. da * eseguendo l'ultima m.a. nella 3ª delle 3 cat. iniz. saltate, volt.

2ª Riga: 3 cat., salt. la prima m.a., 1 m.a. nelle 2 m.a. succ., * 2 cat., salt. 3 cat., gh nella m.b. succ., 1 cat., gh nella m.b. succ., 1 cat., salt. 3 cat., 1 m.a. nelle 3 m.a. succ.; rip. da * eseguendo l'ultima m.a. nella 3ª delle 3 cat., volt.

3ª Riga: 3 cat., salt. la prima m.a., 1 m.a. nelle 2 m.a. succ., * 3 cat., salt. 1 cat. e gh succ., 2 m.b. nello sp. di 1 cat. tra le gh, 3 cat., salt. gh succ. e 2 cat., 1 m.a. nelle 3 m.a. succ; rip. da * eseguendo l'ultima m.a. nella 3ª delle 3 cat., volt.

Rip. la 2ª e la 3ª riga per la lunghezza necessaria, finendo con una 2ª riga.

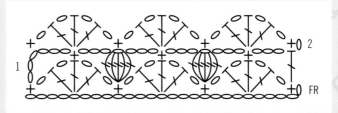

IL PUNTO NOCCIOLINA

I punti nocciolina sono gruppi di punti morbidi e soffici, meno testurizzati delle noci e delle ghiande. Un punto nocciolina è costituito da tre o più mezze maglie alte che vengono lavorate nella stessa catenella o maglia e richiedono un po' di esercizio prima di riuscire perfettamente.

ESEGUIRE UN PUNTO NOCCIOLINA DI BASE

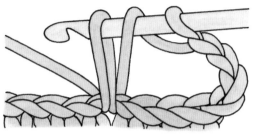

1 Gettate il filo sull'uncinetto, fate entrare l'uncinetto nella catenella o maglia, filo sull'uncinetto, ed estraete una maglia in modo che ci siano tre asole sull'uncinetto.

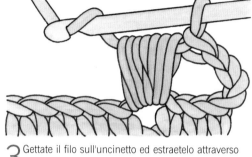

3 Gettate il filo sull'uncinetto ed estraetelo attraverso l'asola su di esso per chiudere il punto nocciolina.

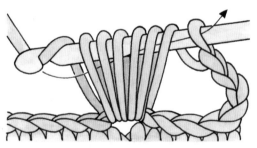

2 Ripetete questo passaggio altre due volte, sempre facendo entrare l'uncinetto nella stessa maglia, così da avere sette asole su di esso. Gettate di nuovo il filo sull'uncinetto ed estraetelo attraverso tutte le asole su di esso.

Vedi anche: **i petali, pag. 42**
Il punto ghianda, pag. 44

CONSIGLIO

I punti nocciolina possono risultare un po' complicati, soprattutto per una principiante. L'ideale è esercitarsi con un filo liscio e grosso e un uncinetto grande fino a quando avrete capito la struttura del punto.

RACCOLTA DI PUNTI

LEGENDA DEI PUNTI

Riga di base	F R
Catenella	O
Maglia bassa	+
Mezza maglia alta	T
Maglia alta	┼
2 maglie alte insieme	
Punto nocciolina costituito da 3 mezze maglie alte	

STRISCE DI PUNTI NOCCIOLINA

Questo punto produce una trama morbida, perfetta per confezionare copertine in filato baby. Stabilite voi quale preferite sia il dritto del lavoro.

Nota: nocc. = punto nocciolina costituito da 3 mezze maglie alte.

Catenella di base: avviate un multiplo di 2 catenelle più 2.

Riga di base: (RL) 1 m.b. nella 2ª cat. dall'uncinetto, * 1 cat., salt. cat. succ., 1 m.b. nella cat. succ.; rip. da * fino alla fine, volt.

1ª Riga: 2 cat. (equivalenti a 1 m.m.a.), salt. la prima m., * nocc. nello sp. di 1 cat. succ., 1 cat., salt. 1 m.b.; rip. da * fino alla fine, lavorando l'ultima nocc. nell'ultimo sp. di 1 cat., 1 m.m.a. nell'ultima m.b., volt.

2ª Riga: 1 cat., 1 m.b. nella prima m., * 1 cat., salt. 1 m., 1 m.b. nello sp. di 1 cat. succ.; rip. da * fino alla fine, lavorando l'ultima m.b. nella 2ª delle 2 cat., volt.

Rip. la 1ª e la 2ª riga per la lunghezza necessaria, finendo con una 2ª riga.

ONDE DI PUNTI NOCCIOLINA

I punti nocciolina, in combinazione con gruppi di diminuzioni, producono questo grazioso motivo in rilievo particolarmente efficace se eseguito con un filato a tinta unita o con strisce a due righe di colori molto tenui.

Nota: nocc. = punto nocciolina costituito da 3 mezze maglie alte.

2 m.a. ins. = eseguite due maglie alte insieme.

Catenella di base: avviate un multiplo di 17 catenelle più 2.

Riga di base: (DL) 1 m.a. nella 4ª cat. dall'uncinetto, [2 m.a. ins. sulle 2 cat. succ.] 2 volte, * [1 cat., nocc. nella cat. succ.] 5 volte, 1 cat., ** [2 m.a. ins. sulle 2 cat. succ.] 6 volte; rip. da * finendo con l'ultima rip. a ** quando restano 6 cat., [2 m.a. ins. sulle 2 cat. succ.] 3 volte, volt.

1ª Riga: 1 cat., 1 m.b. nella 1ª m. in ogni m. e sp di 1 cat. fino alla fine della riga escludendo le 3 cat. iniz. saltate, volt.

2ª Riga: 3 cat., salt. la prima m., 1 m.a. nella m. succ., [2 m.a. ins. sulle 2 m. succ.] 2 volte, * [1 cat., nocc. nella m. succ.] 5 volte, 1 cat., ** [2 m.a. ins. sulle 2 m. succ.] 6 volte; rip. da * finendo con l'ultima rip. a ** quando restano 6 m., [2 m.a. ins. sulle 2 m. succ.] 3 volte, salt. 3 cat., volt.

Rip. la 2ª e la 3ª riga per la lunghezza necessaria, finendo con una 2ª riga.

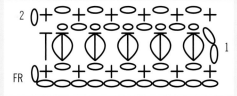

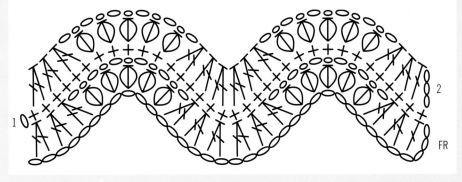

IL PUNTO PELLICCIA

Esistono due tipi di punto pelliccia: il primo è costituito da asole estese create con il filo con cui si sta lavorando (punto pelliccia), il secondo è costituito da asole create con dei pezzetti di catenella all'uncinetto (punto riccio). Entrambi permettono di ottenere una trama fantastica e sono ottimi per confezionare accessori come sciarpe e cappellini o per realizzare colletti e polsini adatti a decorare un indumento a tinta unita.

LAVORARE UN PUNTO PELLICCIA

I punti pelliccia in genere vengono lavorati sul rovescio delle righe a maglia bassa, estendendo un'asola di filo con il dito. Probabilmente ci vorrà un po' di esercizio prima di riuscire a realizzare tutte le asole lunghe uguali. Potete eseguire i punti pelliccia in qualsiasi punto della riga, a gruppi o alternandoli a semplici punti bassi. Per semplificare le cuciture, di solito si lavorano due o più punti semplici alla fine della riga.

1 Con il rovescio rivolto verso di voi, fate entrare l'uncinetto nella maglia successiva come di consueto. Estraete con un dito il filo che state utilizzando per ottenere un'asola delle dimensioni desiderate, prendetene i fili con l'uncinetto e fateli passare attraverso il lavoro.

2 Estraete il dito dall'asola di filo e gettate il filo sull'uncinetto.

3 Fate passare delicatamente il filo attraverso le tre asole sull'uncinetto.

LAVORARE UN PUNTO RICCIO

A differenza della maggioranza degli altri punti a uncinetto, quello riccio viene eseguito su righe di andata e ritorno, senza voltare il lavoro. Le asole di catenelle sono lavorate sul dritto lavorando in costa davanti della riga normale precedente. Ogni riga di asole è seguita da una normale di maglie alte che sono state lavorate in costa dietro della stessa riga con le asole di catenella.

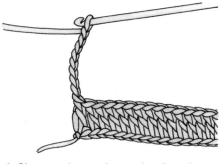

1 Riga normale: eseguite una riga di maglie alte. Alla fine della riga lavorate il numero di catenelle indicato nello schema. Non voltate il lavoro.

2 Riga di asole: procedendo da sinistra verso destra e mantenendo la catenella dietro all'uncinetto mentre si realizza ogni asola, lavorate una maglia bassissima in costa davanti della maglia alta successiva, della riga precedente. Ripetete per tutta la riga, senza voltare una volta giunti alla fine.

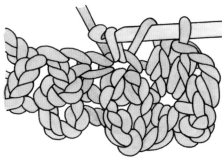

3 Riga normale: procedendo da destra verso sinistra dietro alle asola fatte nella riga precedente, lavorate una maglia alta in costa dietro di ogni punto realizzato nella prima riga semplice.

RACCOLTA DI PUNTI

LEGENDA DEI PUNTI

Riga di base	FR
Catenella	o
Maglia bassa	+
Maglia alta	⊺
Maglia alta in costa dietro	⊺
Punto pelliccia	ō
Maglia bassissima in costa davanti	⌣
Non voltare	⇄

FASCE DI PUNTI PELLICCIA

I punti pelliccia vengono realizzati a gruppi di quattro per ottenere fasce verticali in rilievo che risaltano magnificamente sullo sfondo semplice.

Catenella di base: avviate un multiplo di 8 catenelle più 2.

Riga di base: (DL) 1 m.a. nella 4ª cat. dall'uncinetto, 1 m.a. in tutte le cat. fino alla fine, volt.

1ª Riga: 1 cat., 1 m.b. in tutte le prime 2 m.a., * punto pelliccia nelle 4 m.a. succ., 1 m.b. nelle 4 m.a. succ.; rip. da * fino alle ultime 6 m., punto pelliccia nelle 4 m.a. succ., 1 m.b. nella m.a. succ., 1 m.b. nella 3ª delle 3 cat., volt.

2ª Riga: 3 cat., salt. la 1ª m., 1 m.a. in ogni m. della r.p., salt. 1 cat., volt.

Rip. la 1ª e la 2ª riga per la lunghezza necessaria, finendo con una 1ª riga.

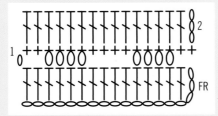

PUNTO RICCIO

Le asole delle catenelle a uncinetto vengono eseguite su righe alterne per ottenere questo punto molto testurizzato, eseguito senza voltare alla fine delle righe.

Catenella di base: avviate un numero qualsiasi di catenelle più 2.

Riga di base: (DL) 1 m.a. nella 4ª cat. dall'uncinetto, 1 m.a. in tutte le cat. fino alla fine. non voltate.

1ª Riga: procedendo da sinistra verso destra, salt. la prima m.a., * 7 cat., 1 m.bss. nell'asola davanti della m.a. succ. a destra; rip. da * fino alla fine, lavorando l'ultima m.bss. nelle asole della 3ª delle 3 cat. Iniz. saltate. non voltate.

2ª Riga: procedendo da destra verso sinistra dietro le asole realizzate sulla riga precedente, 3 cat., salt. la prima m., * 1 m.a. in costa dietro della m.a. succ. eseguita sulla riga di base; rip. da * fino alla fine. non voltate.

3ª Riga: procedendo da sinistra verso destra, * 7 cat., salt. la prima m.a., 1 m.bss. in costa davanti della m.a. succ. a destra; rip. da * fino alla fine, lavorando l'ultima m.bss. nella 3ª delle 3 cat. non voltate.

4ª Riga: procedendo da destra verso sinistra dietro le asole realizzate sulla riga precedente, 3 cat., salt. la prima m., * 1 m.a. in costa dietro della m.a. succ. eseguita sull'ultima riga; rip. da * fino alla fine. non voltate.

Rip. la 3ª e la 4ª riga per la lunghezza necessaria, finendo con una 4ª riga.

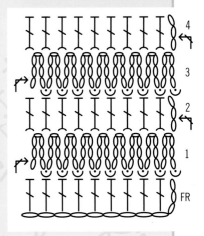

LA RETE SEMPLICE E I PUNTI PIZZO

La rete semplice e i punti pizzo sono facili da eseguire ma è fondamentale avviare il numero esatto di punti nella catenella di base. Questi punti sono versatili e si possono impiegare per confezionare accessori, come scialli e sciarpine, ma anche capi estivi leggeri e non troppo elaborati.

MOTIVI A RETE SEMPLICE

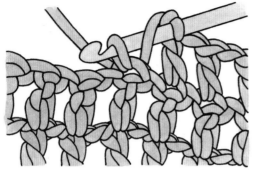

1 Quando eseguite dei motivi a rete, è necessario far entrare l'uncinetto nel punto giusto. In questo motivo, l'uncinetto è stato puntato in cima a ogni punto eseguito sulla riga precedente.

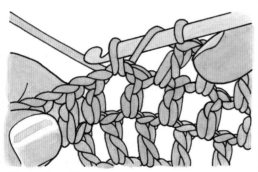

2 Alcuni motivi a rete semplice vengono realizzati puntando l'uncinetto negli spazi di catenella tra le maglie lavorate sulla riga precedente. Non puntate l'uncinetto direttamente nella catenella ma nello spazio sottostante.

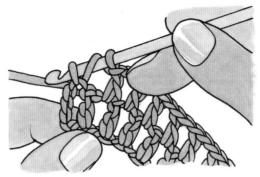

3 Quando eseguite l'ultimo punto della riga, lavoratelo nel terzo punto della catenella per voltare invece che nello spazio di catenella. In questo modo otterrete un bordo più rifinito e stabile.

MOTIVO A RETE A ROMBI

Simili a quelli a rete semplice nella struttura, questi motivi hanno spazi di catenella più lunghi, riuscendo così a curvarsi in alto e creando dei graziosi archi. Gli spazi di catenella di solito vengono fissati con dei punti bassi lavorati nello spazio sottostante a ogni arco.

Vedi anche: **uncinetto tessuto, pag. 110**

RACCOLTA DI PUNTI

LEGENDA DEI PUNTI

Riga di base **FR**

Catenella **o**

Maglia bassa **+**

Maglia alta

Maglia alta doppia

MOTIVO A RETE SEMPLICE

È molto facile da eseguire e adatto alle principianti che iniziano a lavorare con questo punto. Può essere usato anche come maglia di sfondo per l'uncinetto tessuto.

Catenella di base: avviate un multiplo di 2 catenelle più 3.

Riga di base: (DL) 1 m.a. nella 6ª cat. dall'uncinetto, * 1 cat., salt. la cat. succ., 1 m.a. nella cat. succ.; rip. da * fino alla fine, volt.

1ª Riga: 4 cat (equivalenti a 1 m.a., 1 cat.), * 1 m.a. nella m.a. succ., 1 cat.; rip. da * fino alla fine, lavorando l'ultima m.a. nella 2ª delle 5 cat. iniz. saltate, volt.

2ª Riga: 4 cat (equivalenti a 1 m.a., 1 cat.), * 1 m.a. nella m.a. succ., 1 cat.; rip. da * fino alla fine, lavorando l'ultima m.a. nella 3ª delle 3 cat., volt.

Rip. la 2ª riga per la lunghezza necessaria.

RETE A ROMBI

Un altro punto semplice, adorabile se usato per sciarpine leggere, sciarpe o stole. È double face, così potete scegliere il lato che preferite come dritto.

Catenella di base: avviate un multiplo di 4 catenelle più 2.

Riga di base: 1 m.b. nella 6ª cat. dall'uncinetto, * 5 cat., salt. 3 cat., 1 m.b. nella cat. succ.; rip. da * fino alla fine, volt.

1ª Riga: * 5 cat., 1 m.b. nello sp. di 5 cat. succ.; rip. da * fino alla fine, volt.

Rip. la 1ª riga per la lunghezza necessaria.

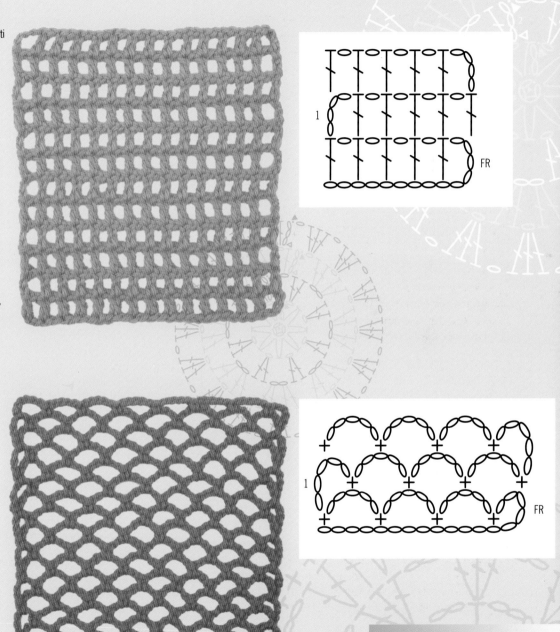

▶ Continua nella pagina seguente

LA TELA DEL RAGNO

Un punto un po' più complicato di quelli precedenti che dà un tessuto morbido e delicato. Stabilite voi quale preferite come dritto del lavoro.

Catenella di base: avviate un multiplo di 18 catenelle più 8.

Riga di base: 1 m.a. nell' 8ª cat. dall'uncinetto, * 2 cat., salt. le 2 cat. succ., 1 m.a. nella cat. succ.; rip. da * fino alla fine, volt.

1ª Riga: 5 cat. (equivalenti a 1 m.a., 2 cat.), salt. la prima m.a., 1 m.a. nella m.a. succ., * 4 cat., 1 m.a.d. nelle 4 cat. succ., 4 cat., 1 m.a. nella m.a. succ., 2 cat., 1 m.a. nella m.a. succ.; rip. da * fino alla fine, lavorando l'ultima m.a. nella 3ª delle 7 cat. iniz. saltate, volt.

2ª Riga: 5 cat., salt. la prima m.a., 1 m.a. nella m.a. succ., * 4 cat., 1 m.b. nelle 4 m.a.d. succ., 4 cat., 1 m.a. nella m.a. succ., 2 cat., 1 m.a. nella m.a. succ.; rip. da * fino alla fine, lavorando l'ultima m.a. nella 3ª delle 5 cat., volt.

3ª e 4ª Riga: 5 cat., salt. la prima m.a., 1 m.a. nella m.a. succ., * 4 cat., 1 m.b. nelle 4 m.b. succ., 4 cat., 1 m.a. nella m.a. succ., 2 cat., 1 m.a. nella m.a. succ.; rip. da * fino alla fine, lavorando l'ultima m.a. nella 3ª delle 5 cat., volt.

5ª Riga: 5 cat., salt. la prima m.a., 1 m.a. nella m.a. succ., * 2 cat., [1 m.a. nella m.a.d. succ., 2 cat.] 4 volte, 1 m.a. nella m.a. succ., 2 cat., 1 m.a. nella m.a. succ.; rip. da * fino alla fine, lavorando l'ultima m.a. nella 3ª delle 5 cat., volt.

6ª Riga: 5 cat., salt. la prima m.a., 1 m.a. nella m.a. succ., * 2 cat., [1 m.a.d. nella m.b. succ., 2 cat.] 4 volte, 1 m.a. nella m.a. succ., 2 cat., 1 m.a. nella m.a. succ.; rip. da * fino alla fine, lavorando l'ultima m.a. nella 3ª delle 5 cat., volt.

7ª Riga: 5 cat., salt. la prima m.a., 1 m.a. nella m.a. succ., * 4 cat., 1 m.a.d. nelle 4 m.a. succ., 4 cat., 1 m.a. nella m.a. succ., 2 cat., 1 m.a. nella m.a. succ.; rip. da * fino alla fine, lavorando l'ultima m.a. nella 3ª delle 5 cat., volt.

Rip. dalla 2ª alla 7ª riga per la lunghezza necessaria, finendo con una 6ª riga.

Vedi a pag. 50 la legenda dei punti

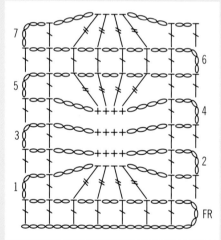

RETE CON VENTAGLI

Una combinazione di rete e punti conchiglia adatta per sciarpe o copertine. Per mettere in risalto la bellezza di questo motivo, scegliete un filato sottile.

Catenella di base: avviate un multiplo di 12 catenelle più 3.

Riga di base: (DL) 2 m.a. nella 4ª cat. dall'uncinetto, * salt. 2 cat., 1 m.b. nella cat. succ., 5 cat., salt. 5 cat., 1 m.b. nella cat. succ., salt. 2 cat., 5 m.a. nella cat. succ.; rip. da * fino alla fine, lavorando solo 3 m.a. nell'ultima cat., volt.

1ª Riga: 1 cat., 1 m.b. nella prima m., * 5 cat., 1 m.b. nello sp. di 5 cat. succ., 5 cat., 1 m.b. nella 3ª m.a. del gruppo di 5 m.a. succ.; rip. da * fino alla fine, lavorando l'ultima m.b. nella 3ª delle 3 cat. iniz. saltate, volt.

2ª Riga: * 5 cat., 1 m.b. nello sp. di 5 cat. succ., 5 m.a. nella m.a. succ., 1 m.b. nello sp. di 5 cat. succ.; rip. da * finendo con 2 cat., 1 m.a. nell'ultima m.b., volt.

3ª Riga: 1 cat., 1 m.b. nella prima m., * 5 cat., 1 m.b. nella 3ª m.a. del gruppo di 5 m.a. succ., 5 cat., 1 m.b. nello sp. di 5 cat. succ.; rip. da * fino alla fine, volt.

4ª Riga: 3 cat., 2 m.a. nella prima m., * 1 m.b. nello sp. di 5 cat. succ., 5 cat., 1 m.b. nello sp. di 5 cat. succ., 5 m.a. nella m.b. succ.; rip. da * fino alla fine, lavorando solo 3 m.a. nell'ultima cat., volt.

5ª Riga: 1 cat., 1 m.b. nella prima m., * 5 cat., 1 m.b. nello sp. di 5 cat. succ., 5 cat., 1 m.b. nella 3ª m.a. del gruppo di 5 m.a. succ.; rip. da * fino alla fine, lavorando l'ultima m.b. nella 3ª cat. iniz. saltata, volt.

Rip. dalla 2ª alla 5ª riga per la lunghezza necessaria, finendo con una 4ª riga.

PIZZO A VENTAGLI

Questo grande motivo traforato è apparentemente facile da lavorare a maglia alta e bassa. Usate un filato di cotone morbido o misto cotone per realizzare uno scialle da indossare nelle serate estive.

Catenella di base: avviate un multiplo di 12 cat. più 3.

Riga di base: (DL) 1 m.a. nella 4ª cat. dall'uncinetto, 1 m.a. in tutte le cat. fino alla fine, volt.

1ª Riga: 3 cat., 2 m.a. nella prima m.a., 2 cat., salt. le 3 m.a. succ., 1 m.b. nella m.a. succ., 5 cat., salt. le 3 m.a. succ., 1 m.b. nella m.a. succ., 2 cat, salt. le 3 m.a. succ., * 5 m.a. nella m.a. succ., 2 cat. salt. le 3 m.a. succ., 1 m.b. nella m.a. succ., 5 cat., salt. le 3 m.a. succ., 1 m.b. nella m.a. succ., 2 cat., salt. le 3 m.a. succ.; rip. da * finendo con 3 m.a. nella 3ª delle 3 cat. iniz. saltate., volt.

2ª Riga: 4 cat., salt. la prima m.a., 1 m.a. nella m.a. succ., 1 cat., 1 m.a. nella m.a. succ., 2 cat., salt. lo sp. di 2 cat. succ., 1 m.b. nello sp. di 5 cat. succ., 2 cat., * [1 m.a. nella m.a. succ., 1 cat.] 4 volte, 1 m.a. nella m.a. succ., 2 cat., salt. lo sp. di 2 cat. succ., 1 m.b. nello sp. di 5 cat. succ., 2 cat.; rip. da * fino alle ultime 2 m.a., [1 m.a. nella m.a. succ., 1 cat.] 2 volte, 1 m.a. nella 3ª delle 3 cat., volt.

3ª Riga: 5 cat., salt. la prima m.a., 1 m.a. nella m.a.

succ., 2 cat., 1 m.a. nella m.a. succ., * salt. la m.b. succ., [1 m.a. nella m.a. succ., 2 cat.] 4 volte, 1 m.a. nella m.a. succ.; rip. da * fino all'ultima m.b., salt. l'ultima m.b., [1 m.a. nella m.a. succ., 2 cat.] 2 volte, 1 m.a. nella 3ª delle 4 cat., volt.

4ª Riga: 3 cat., 2 m.a. nello sp. di 2 cat. succ., 1 m.a. nella m.a. succ., 2 m.a. nello sp. di 2 cat. succ., salt. la m.a. succ., 1 m.a. nella m.a. succ., * [2 m.a. nello sp. di 2 cat. succ., 1 m.a. nella m.a. succ.] 3 volte, 2 m.a. nello sp. di 2 cat. succ., salt. la m.a. succ., 1 m.a. nella m.a. succ.; rip. da * all'ultimo sp. di 2 cat., 2 m.a. nell'ultimo sp. di 2 cat. succ., 1 m.a. nella m.a. succ., 2 m.a. nello sp. formato da 5 cat., salt. le prime 2 cat. delle 5, 1 m.a. nella 3ª delle 5 cat., volt.

5ª Riga: 3 cat., 2 m.a. nella prima m.a., 2 cat., salt. le 3 m.a. succ., 1 m.b. nella m.a. succ., 5 cat., salt. le 3 m.a. succ., 1 m.b. nella m.a. succ., 2 cat., salt. le 3 m.a. succ., * 5 m.a. nella m.a. succ., 2 cat. salt. le 3 m.a. succ., 1 m.b. nella m.a. succ., 5 cat., salt. le 3 m.a. succ., 1 m.b. nella m.a. succ., 2 cat., salt. le 3 m.a. succ.; rip. da * finendo con 3 m.a. nella 3ª delle 3 cat., volt.

Rip. dalla 2ª alla 5ª riga per la lunghezza necessaria, finendo con una 4ª riga.

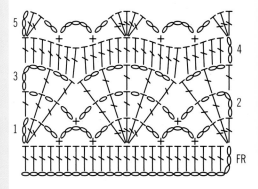

UNCINETTO FILET

L'uncinetto filet è un tipo di lavoro traforato caratterizzato da uno sfondo a rete sul quale il motivo viene messo in risalto in gruppi uniformi di punti. Tradizionalmente viene eseguito con un sottile filo di cotone ma si possono ottenere buoni risultati anche con la lana.

MOTIVI A UNCINETTO FILET

I motivi a uncinetto filet vengono sempre eseguiti partendo da uno schema che illustra il motivo visto dal dritto. Le righe dello schema vengono numerate lateralmente. Questa sequenza numerica va seguita partendo dal basso (riga 1) e procedendo da un lato all'altro (vedi schema sotto). Un gruppo di filet comprende una maglia alta di partenza, due catenelle per uno spazio vuoto oppure due punti alti per un gruppo di pieno e una

maglia alta finale. Il punto alto finale rappresenta anche la maglia alta iniziale del gruppo successivo. Gli schemi di uncinetto filet iniziano con la prima riga, quindi la catenella di base non viene illustrata. Per calcolare il numero di catenelle da avviare, sarà necessario moltiplicare il numero dei quadretti in orizzontale per tre e sommare uno. Per esempio, per uno schema con 20 quadretti in orizzontale, avviate una catenella di base di 61 catenelle (20 x 3 + 1). È necessario inoltre aggiungere il numero esatto di catenelle per voltare a seconda che la prima riga dello schema inizi con uno spazio o un gruppo di punti (vedi "eseguire la prima riga", a destra).

ESEGUIRE LA PRIMA RIGA

AVVIARE LA PRIMA RIGA CON UNO SPAZIO

Avviate la catenella di base, calcolando il numero di catenelle come descritto sopra. Iniziate a seguire lo schema partendo dall'angolo in basso a destra, lungo la fila di quadretti contrassegnata con il numero 1. Se il primo quadretto è uno spazio, aggiungete quattro catenelle per voltare e lavorate il primo punto alto nell'ottava catenella dall'uncinetto. Continuate a eseguire gli spazi e i gruppi di punti lungo la riga, leggendo lo schema da destra verso sinistra.

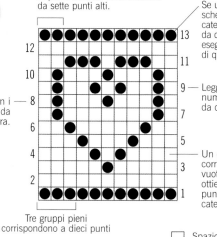

Nello schema, due gruppi pieni di punti insieme sono costituiti da sette punti alti.

Se un quadretto sullo schema è annerito, le catenelle vengono sostituite da due maglie alte per eseguire un gruppo pieno di quattro punti.

Leggete le righe con i numeri dispari (dritto) da destra verso sinistra.

Leggete le righe con i numeri pari (rovescio) da sinistra verso destra.

Un quadretto vuoto corrisponde a uno spazio vuoto. Uno spazio si ottiene lavorando due punti alti separati da due catenelle.

Tre gruppi pieni corrispondono a dieci punti.

☐ Spazio

● Punti

Vedi anche: **la rete semplice e i punti pizzo, pag. 50**

AVVIARE LA PRIMA RIGA CON UN GRUPPO DI PUNTI

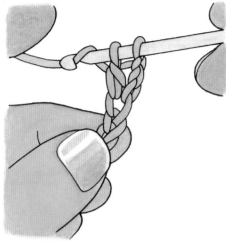

1 Se il primo quadretto sullo schema è annerito, aggiungete due catenelle per voltare e lavorate il primo punto alto nella quarta catenella dall'uncinetto.

2 Eseguite un punto alto nelle due catenelle successive per completare il primo gruppo di punti. Proseguite lungo la riga, leggendo lo schema da destra verso sinistra.

ESEGUIRE LE RESTANTI RIGHE DELLO SCHEMA

Alla fine della prima riga, voltate il lavoro e seguite la seconda riga dello schema, leggendo da sinistra verso destra. Eseguite gli spazi vuoti e i gruppi pieni all'inizio e alla fine della seconda e delle successive righe come spiegato di seguito.

ESEGUIRE UNO SPAZIO SU UNO SPAZIO SULLA RIGA PRECEDENTE

1 All'inizio di una riga, eseguite 5 catenelle per voltare (equivalenti a 1 maglia alta e a 2 catenelle), saltate il primo punto e le 2 catenelle successive, lavorate 1 maglia alta sopra la maglia alta successiva, quindi proseguite eseguendo gli spazi vuoti e i gruppi pieni come da schema.

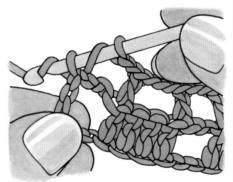

2 Alla fine di una riga, chiudete con 1 maglia alta nell'ultima maglia alta, eseguite 2 catenelle, saltate 2 catenelle, lavorate 1 maglia alta nella terza delle 5 catenelle e voltate.

ESEGUIRE UNO SPAZIO VUOTO SU UN GRUPPO PIENO SULLA RIGA PRECEDENTE

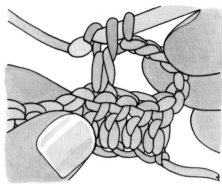

1 All'inizio della riga, eseguite 5 catenelle per voltare (equivalenti a 1 maglia alta e a 2 catenelle), saltate le prime 3 maglie, lavorate 1 maglia alta sopra la maglia alta successiva, quindi proseguite eseguendo gli spazi vuoti e i gruppi pieni come da schema.

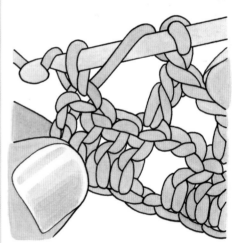

2 Alla fine di una riga, lavorate fino agli ultimi quattro punti. Eseguite 1 maglia alta in quella successiva, eseguite 2 catenelle, saltate 2 punti, quindi lavorate 1 maglia alta in cima alle 3 catenelle per completare il gruppo di punti e voltate.

ESEGUIRE UN GRUPPO PIENO SU UNO SPAZIO VUOTO SULLA RIGA PRECEDENTE

ESEGUIRE UN GRUPPO PIENO SU UN GRUPPO PIENO SULLA RIGA PRECEDENTE

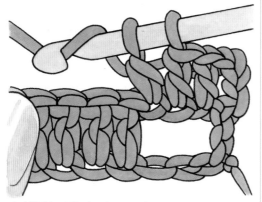

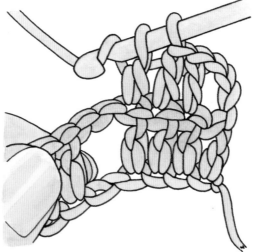

1 All'inizio della riga, lavorate 3 catenelle per voltare (equivalenti a 1 maglia alta), saltate 1 maglia, eseguite 1 maglia alta nelle 2 catenelle successive e 1 maglia alta nella maglia successiva per completare il gruppo pieno. Proseguite lungo la riga eseguendo spazi vuoti e gruppi pieni come da schema.

1 All'inizio della riga, lavorate 3 catenelle per voltare (equivalenti a 1 maglia alta), saltate 1 maglia, ed eseguite 1 maglia alta nelle 3 maglie alte successive per completare il gruppo di punti. Proseguite lungo la riga eseguendo spazi vuoti e gruppi pieni come da schema.

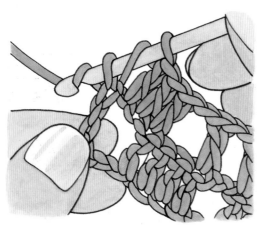

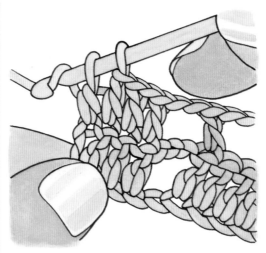

2 Alla fine di una riga, finite con 1 maglia alta nell'ultima maglia alta, 1 maglia alta nelle 3 catenelle successive della catenella per voltare e voltate.

2 Alla fine di un riga, finite con 1 maglia alta nelle ultime 3 maglie alte, 1 maglia alta in cima alle 3 catenelle e voltate.

RACCOLTA DI
PUNTI

LEGENDA DEI PUNTI

Spazio vuoto ☐

Gruppo pieno

SCHACCHIERA

È uno dei motivi più semplici da eseguire a uncinetto filet, si ottiene alternando gruppi pieni e spazi vuoti e risulta bello e facile da lavorare per confezionare coperte leggere e copridivani.

FIORELLINI

Questo motivo risulta più leggero di quello precedente. Disponendo a quattro a quattro i gruppi di punti, si distribuiscono, sullo sfondo a rete semplice, dei fiori stilizzati a intervalli regolari.

CUORE

L'uncinetto filet si presta molto bene per la realizzazione di motivi semplici. Oltre a eseguire il motivo a cuore come mostrato, potete girare lo schema e realizzare più ripetizioni per ottenere una graziosa bordura.

GATTO SEDUTO

Questo gatto si può ripetere in successione sulla bordura di una copertina o di una coperta. Usate un filato fine Baby e un uncinetto piuttosto piccolo per realizzare gran parte del motivo.

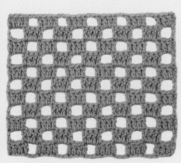

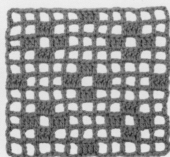

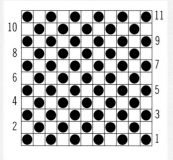

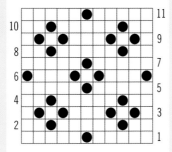

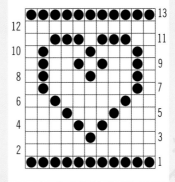

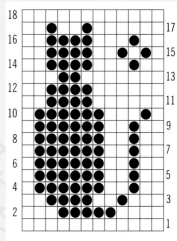

MOTIVI A SPINA DI PESCE

I motivi ondulati vengono eseguiti più o meno come le strisce orizzontali semplici, in questo motivo a righe però, si aggiungono e si sottraggono dei punti a intervalli regolari in tutte le righe.

La somma e la sottrazione di punti dà vita a un motivo composto da punte in sù e punte in giù, separate da gruppi di maglie e produce fantastici disegni con motivi a chevron. Questi chevron possono presentarsi sotto forma di punte aguzze o di onde gentili, a seconda del modello. L'effetto varia cambiando il numero di punti nei gruppi chevron.

Con i semplici motivi ondulati, la ripetizione in genere inizia sulla prima riga dopo aver eseguito la riga di base nella catenella di base. Questa riga viene poi ripetuta fino a che il lavoro ha raggiunto la lunghezza necessaria. I motivi ondulati più complessi, che combinano maglie lisce, in rilievo e traforate, sono composti in modo simile da punte in sù e punte in giù, ma ogni ripetizione può richiedere molte righe prima di essere completa. Alla fine delle righe potete aggiungere dei nuovi colori come quando state eseguendo dei semplici motivi a righe.

Vedi anche: **tecniche di base, pag. 12**
motivi a righe, pag. 32

MOTIVO A SPINA DI PESCE A MAGLIA BASSA

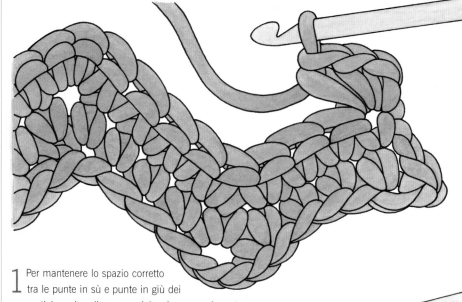

1 Per mantenere lo spazio corretto tra le punte in sù e punte in giù dei motivi a spina di pesce a righe, è necessario eseguire uno o più punti extra all'inizio e/o alla fine di ogni riga. In questo semplice schema, sono state eseguite due maglie basse nel primo punto di ogni riga.

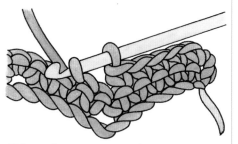

2 Per realizzare le punte in giù in fondo al motivo, saltate due maglie basse (salt. le 2 m.b. succ.) In fondo alle punte in giù, poi proseguite eseguendo il gruppo di punti successivo.

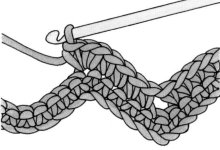

3 Per realizzare le punte in sù, lavorate tre maglie basse (3 m.b. nella m.b. succ.) nella stessa maglia in cima a esse.

RACCOLTA DI PUNTI

ONDE A MAGLIA BASSA

Filo: tre colori: A, B e C.

Catenella di base: multiplo di 11 catenelle più 2.

Usando il filo A avviate una catenella di base della lunghezza necessaria.

Riga di base: (DL) 2 m.b. nella 2ª cat. dall'uncinetto, * 1 m.b. nelle 4 cat. succ., salt. le 2 cat. succ., 1 m.b. nelle 4 cat. succ., 3 m.b. nella cat. succ.; rip. da * fino alla fine, finendo l'ultima rip. con 2 m.b. nell'ultima cat., volt.

1ª Riga: 1 cat., 2 m.b. nella prima m.b., * 1 m.b. nelle 4 m.b. succ., salt. le 2 m.b. succ., 1 m.b. nelle 4 m.b. succ., 3 m.b. nella m.b. succ.; rip. da * fino alla fine, finendo l'ultima rip. con 2 m.b. nell'ultima m.b., volt.

Rip. la 1ª riga, cambiando i colori come nella sequenza cromatica di seguito:

4 righe con il filo A, 4 righe con il filo B, 4 righe con il filo C.

Ripetete fino a raggiungere la lunghezza necessaria.

Fissate il filo.

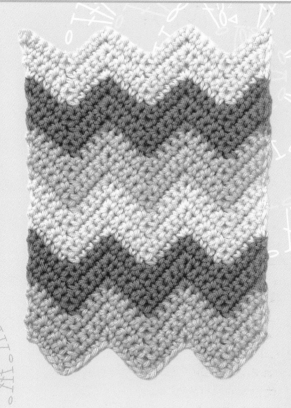

LEGENDA DEI PUNTI

Riga di base	F R
Catenella	o
Maglia bassa	+
Maglia bassissima	·
Maglia alta	
3 maglie alte insieme	

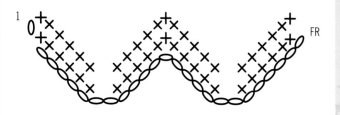

▸ Continua nella pagina seguente

ONDE A MAGLIA ALTA

Filo: due colori: A e B.

Catenella di base: multiplo di 13 catenelle.

Usando il filo A avviate una catenella di base della lunghezza necessaria.

Riga di base: (DL) 1 m.a. nella 4ª cat. dall'uncinetto, 1 m.a. nelle 3 cat. succ., * 3 m.a. nella cat. succ., 1 m.a. nelle 5 cat. succ., salt. le 2 cat. succ., 1 m.a. nelle 5 cat. succ.; rip. da * fino alle ultime 6 cat., 3 m.a. nella cat. succ., 1 m.a. nelle 5 cat. succ., volt.

1ª Riga: 1 m.bss. nella 2ª m.a., 3 cat., 1 m.a. nelle 4 m.a. succ., * 3 m.a. nella m.a. succ., 1 m.a. nelle 5 m.a. succ., salt. le 2 m.a. succ., 1 m.a. nelle 5 m.a. succ.; rip. da * fino alle ultime 6 m., 3 m.a. nella m.a. succ., 1 m.a. nelle 5 m.a. succ., volt.

Rip. la 1ª riga, cambiando i colori come nella sequenza cromatica di seguito:

2 righe con il colore A, 2 righe con il colore B.

Ripetete fino a raggiungere la lunghezza necessaria.

Fissate il filo.

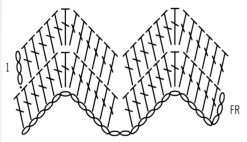

ONDE SINUOSE

Filo: tre colori: A, B e C.

Catenella di base: multiplo di 14 catenelle più 3. Usando il filo A avviate una catenella di base della lunghezza necessaria.

Riga di base: (DL) 2 m.a. nella 4ª cat. dall'uncinetto, 1 m.a. nelle 3 cat. succ., [3 m.a. ins. sulle 3 cat. succ.] 2 volte, 1 m.a. nelle 3 cat. succ., * 3 m.a. nelle 2 cat. succ., 1 m.a. nelle 3 cat. succ., [3 m.a. ins. sulle 3 cat. succ.] 2 volte, 1 m.a. nelle 3 cat. succ.; rip. da * fino all'ultima cat., 3 m.a. nell'ultima cat., volt.

1ª Riga: 3 cat., 2 m.a. nella prima m.a., 1 m.a. nelle 3 m.a. succ., 3 m.a. ins. 2 volte, 1 m.a. nelle 3 m.a. succ., * 3 m.a. nelle 2 m.a. succ., 1 m.a. nelle 3 m.a. succ., 3 m.a. ins. 2 volte, 1 m.a. nelle 3 m.a. succ.; rip. da * fino alle cat. iniz. saltate, 3 m.a. nella 3ª delle 3 cat. iniz. saltate, volt.

2ª Riga: 3 cat., 2 m.a. nella prima m.a., 1 m.a. nelle 3 m.a. succ., 3 m.a. ins. 2 volte, 1 m.a. nelle 3 m.a. succ., * 3 m.a. nelle 2 m.a. succ., 1 m.a. nelle 3 m.a. succ., 3 m.a. ins. 2 volte, 1 m.a. nelle 3 m.a. succ.; rip. da * fino alla cat. per volt., 3 m.a. nella 3ª delle 3 cat., volt.

Rip. la 2ª riga, cambiando i colori come nella sequenza cromatica di seguito:

2 righe con il colore A, 1 riga con il colore B, 2 righe con il colore A, 1 riga con il colore C.

Ripetete fino a raggiungere la lunghezza necessaria.

Fissate il filo.

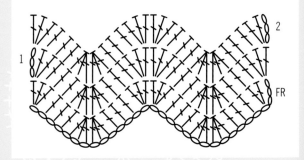

MOTIVO ONDULATO A MAGLIA ALTA

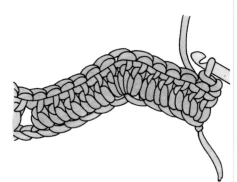

1 Invece di realizzare punti extra all'inizio della riga, potrebbe esservi richiesto di lavorare uno o più maglie bassissime per condurre il filo e l'uncinetto nel punto esatto per eseguire la riga successiva. Per questo motivo, voltate e lavorate una maglia bassissima nella seconda maglia alta della riga (m.bss. nella 2ª m.a.) prima di eseguire la catenella per voltare.

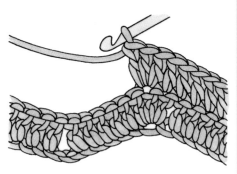

2 Lavorate tre punti nella stessa maglia della riga precedente per ottenere le punte in sù. Eseguite il gruppo di maglie prima della punta, quindi lavorate tre maglie alte nella maglia alta successiva (3 m.a. nella m.a. succ.). Le punte in giù vengono realizzate come il motivo a maglia bassa sopra, semplicemente saltando due punti in fondo alle stesse.

ONDE SINUOSE A MAGLIA ALTA

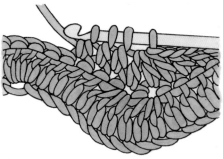

1 Le onde morbide sono composte da due serie di aumenti e diminuzioni nelle punte in sù e in quelle in giù, al posto di una. Per realizzare le punte in giù, eseguite tre maglie alte chiuse insieme (3 m.a. ins.) sui sei punti in fondo a ogni punta in giù.

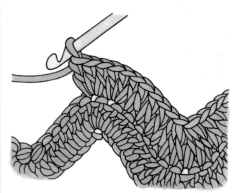

2 Per eseguire le punte in sù, lavorate tre maglie alte nei due punti centrali in cima alle punte (3 m.a. nelle 2 m.a. succ.).

Vedi a pag. 59 la legenda dei punti

IL PUNTO ALLUNGATO

I punti allungati vengono eseguiti prendendo la maglia nella riga sottostante, per aggiungere colore o trama al pezzo a uncinetto. I punti, in genere bassi, vengono lavorati singolarmente o a gruppi su una o più righe.

Oltre a realizzare interessanti motivi cromatici, quando eseguiti in due o più colori contrastanti, i punti allungati producono un tessuto grosso e fitto, poco morbido e adatto alla confezione di giacche per adulti e accessori come copricapi, borse e borsette.

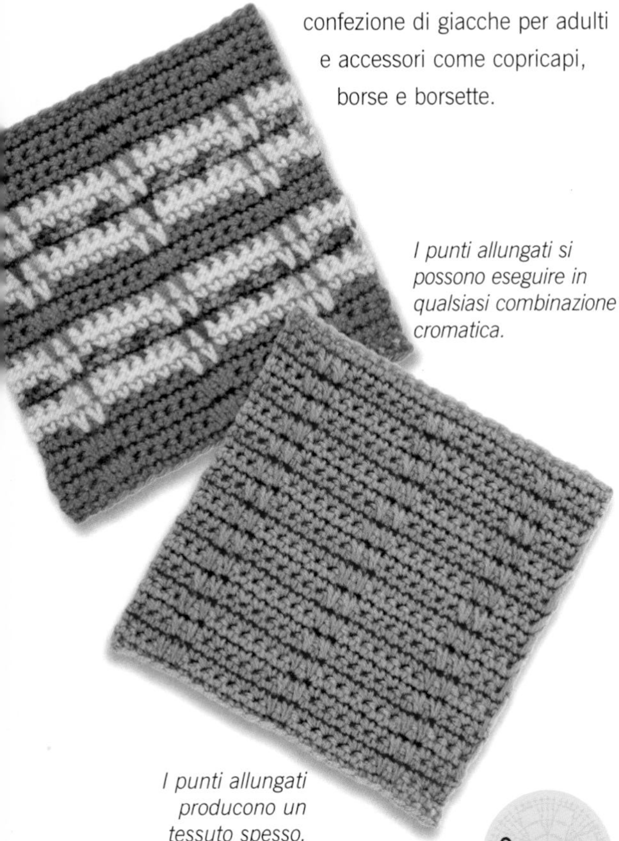

I punti allungati si possono eseguire in qualsiasi combinazione cromatica.

I punti allungati producono un tessuto spesso.

CONSIGLIO

Se è la prima volta che usate questa tecnica, sarà più facile vedere esattamente i vostri passaggi se realizzate ogni riga con un filo di un colore contrastante.

ESEGUIRE UN PUNTO ALLUNGATO DI BASE A MAGLIA BASSA

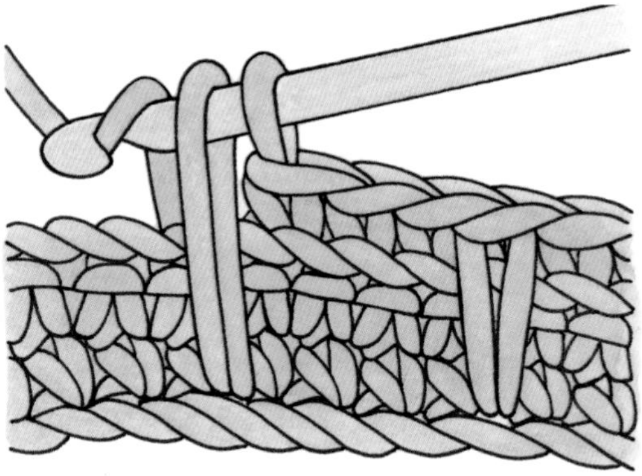

1 Inserite l'uncinetto nella riga sottostante a quella che state lavorando, come indicato nelle spiegazioni dello schema, facendo passare perfettamente la punta fino al rovescio del tessuto. Gettate il filo sull'uncinetto ed estraete una maglia, allungandola fino all'altezza della riga che state lavorando.

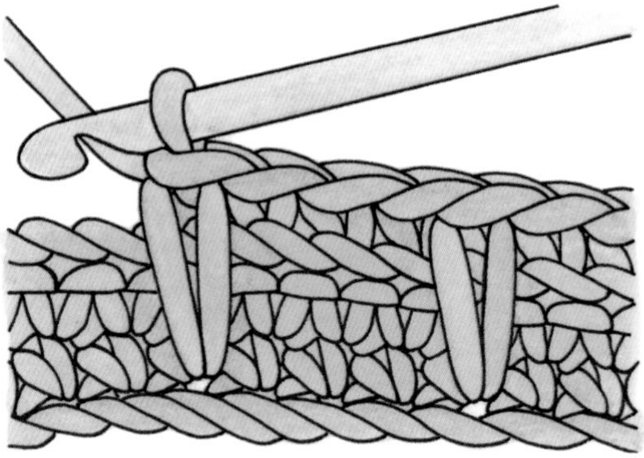

2 Per completare il punto allungato, chiudetelo come di consueto. Quando realizzate dei punti allungati, fate attenzione a non tirare troppo l'asola altrimenti il tessuto si deformerà.

RACCOLTA DI PUNTI

LEGENDA DEI PUNTI

Riga di base FR

Catenella ○

Maglia bassa +

Punto allungato

Aggiungere un nuovo colore ◁

PUNTI ALLUNGATI A RIGHE

Le righe dai colori contrastanti sono perfette per mettere in risalto i punti allungati. In questo punto, il colore cambia ogni due righe; per evitare di avere troppi fili, lasciate quelli che non state usando a lato del lavoro.

Note: pa = punto allungato eseguito puntando l'uncinetto nelle due righe sottostanti al punto successivo e lavorando una m.b.

Per lavorare questo punto sono stati usati due fili (A e B) dai colori contrastanti.

Catenella di base: usando il filo A, avviate un multiplo di 8 catenelle più 1.

Riga di base: (DL) usando il filo A, 1 m.b. nella 2ª cat. dall'uncinetto, 1 m.b. in tutte le cat. fino alla fine, volt.

1ª Riga: usando il filo a, 1 cat., 1 m.b. in tutte le m.b. fino alla fine, volt. unite il filo B, ma non tagliate il filo A.

2ª Riga: usando il filo b, 1 cat., * 1 m.b. nelle 3 m.b. succ., pa due volte, 1 m.b. nelle 3 m.b. succ.; rip. da * fino alla fine, volt.

3ª Riga: usando il filo B, 1 cat., 1 m.b. in tutte le m.b. fino alla fine, volt.

4ª Riga: usando il filo A, 1 cat., 1 m.b. in tutte le m.b. fino alla fine, volt.

Rip. dalla 1ª alla 4ª riga per la lunghezza necessaria, finendo con una 1ª riga.

PUNTI ALLUNGATI ALTERNATI

Si tratta di un grazioso punto che produce un tessuto fitto e testurizzato. Lavorato in un solo colore, il tessuto è double face, così potete scegliere quale lato del lavoro preferite per usarlo come dritto.

Note: pa = punto allungato eseguito entrando con l'uncinetto nella riga sottostante al punto successivo e lavorando una m.b.

Catenella di base: avviate un multiplo di 2 catenelle.

Riga di base: 1 m.b. nella 2ª cat. dall'uncinetto, 1 m.b. in tutte le cat. fino alla fine, volt.

1ª Riga: 1 cat., 1 m.b. nella prima m.b., * pa sulla m.b. succ., 1 m.b. nella m.b. succ.; rip. da * fino alla fine, volt.

2ª Riga: 1 cat., 1 m.b. nelle prime 2 m.b., * pa sulla m.b. succ., 1 m.b. nella m.b. succ.; rip. da * fino all'ultima m., 1 m.b. nell'ultima m.b., volt.

Rip. la 2ª riga per la lunghezza necessaria.

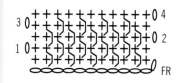

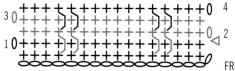

IL PUNTO IN RILIEVO

Questi punti vengono chiamati con molti nomi. Con questo punto si possono ottenere superfici dalla trama particolarmente evidente, realizzate puntando l'uncinetto intorno alla base dei punti della riga precedente ed eseguendo una maglia alta. L'uncinetto si può puntare dal davanti o dal dietro del lavoro, producendo effetti diversi.

PUNTARE L'UNCINETTO

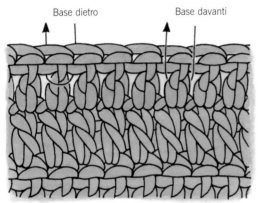

Base dietro   Base davanti

Per realizzare una maglia in rilievo sul davanti, puntate l'uncinetto dal davanti intorno alla colonnina della maglia della riga precedente e riportatelo sul davanti. Per realizzare una maglia in rilievo sul dietro, puntate l'uncinetto dal dietro verso il davanti della colonnina della maglia della riga precedente e riportatelo sul dietro.

MAGLIA IN RILIEVO SUL DAVANTI

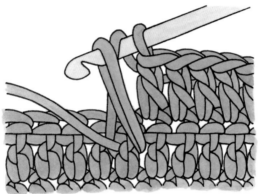

Gettate il filo sull'uncinetto, puntatelo come descritto a sinistra, di nuovo filo sull'uncinetto ed estraete una maglia sul davanti del lavoro. Chiudete la maglia alta come di consueto.

MAGLIA IN RILIEVO SUL DIETRO

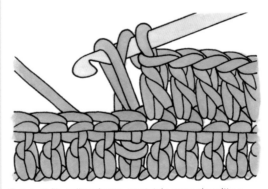

Gettate il filo sull'uncinetto, puntatelo come descritto a sinistra, di nuovo filo sull'uncinetto ed estraete una maglia sul dietro del lavoro. Chiudete la maglia alta come di consueto.

CONSIGLIO

Se vi risulta difficile individuare il punto in cui inserire l'uncinetto, esercitatevi in questa tecnica usando un filato spesso e un uncinetto grande.

RACCOLTA DI PUNTI

LEGENDA DEI PUNTI

Riga di base **F R**

Catenella ⊂⊃

Mezza maglia alta

Maglia alta

Maglia alta in rilievo sul davanti

Maglia alta in rilievo sul dietro

COLONNE IN RILIEVO

I punti in rilievo fanno un certo effetto se vengono combinati con altri punti decorativi all'uncinetto, in particolar modo quelli con una superficie piatta. In questo caso, le righe verticali di punti in rilievo si accostano a delle semplici conchiglie a maglia alta.

Note: m.a.r.dav. = maglia alta in rilievo sul davanti.

M.a.r.dtr. = maglia alta in rilievo sul dietro.

Catenella di base: avviate un multiplo di 8 catenelle più 2.

Riga di base: (DL) 2 m.a. nella 6ª cat. dall'uncinetto, * 2 cat., 2 m.a. nella cat. succ., salt. le 2 cat. succ., 1 m.m.a. nelle 2 cat. succ., salt. le 2 cat. succ., 2 m.a. nella cat. succ.; rip. da * fino alle ultime 3 cat., salt. le 2 cat. succ., 1 m.m.a. nell'ultima cat., volt.

1ª Riga: 2 cat., salt. m.m.a. e le 2 m.a. succ., * [2 m.a., 2 cat., 2 m.a.] nello sp. di 2 cat. succ., m.a.r.dav. intorno alle 2 m.m.a. succ.; rip. da * finendo l'ultima rip. con 1 m.a. nella 5ª delle 5 cat. iniz. saltate, volt.

2ª Riga: 2 cat., salt. le prime 3 m.a., * [2 m.a., 2 cat., 2 m.a.] nello sp. di 2 cat. succ., m.a.r.dtr. intorno alle 2 m.a. succ.; rip. da * finendo l'ultima rip. con 1 m.a. nella 2ª delle 2 cat., volt.

3ª Riga: 2 cat., salt. le prime 3 m.a., * [2 m.a., 2 cat., 2 m.a.] nello sp. di 2 cat. succ., m.a.r.dav. intorno alle 2 m.a. succ.; rip. da * finendo l'ultima rip. con 1 m.a. nella 2ª delle 2 cat., volt.

Rip. la 2ª e la 3ª riga per la lunghezza necessaria, finendo con una 3ª riga.

INTRECCIO

Questa maglia così fitta somiglia alla trama di un cestino intrecciato. È perfetta per confezionare copricuscini, copridivani e coperte calde e pesanti, ma fate attenzione perché richiede parecchio filato.

Note: m.a.r.dav. = maglia alta in rilievo sul davanti.

M.a.r.dtr. = maglia alta in rilievo sul dietro.

Catenella di base: avviate un multiplo di 8 catenelle più 4.

Riga di base: 1 m.a. nella 4ª cat. dall'uncinetto, 1 m.a. in tutte le cat. fino alla fine, volt.

1ª Riga: 2 cat., salt. la prima m.a., * m.a.r.dav. intorno alle 4 m.a. succ., m.a.r.dtr. intorno alle 4 m.a. succ.; rip. da * finendo l'ultima rip. con 1 m.a. nella 3ª delle 3 cat. iniz. saltate, volt.

2ª, 3ª e 4ª Riga: 2 cat., salt. la prima m.a., * m.a.r.dav. intorno alle 4 m.a. succ., m.a.r.dtr. intorno alle 4 m.a. succ.; rip. da * finendo l'ultima rip. con 1 m.a. nella 2ª delle 2 cat., volt.

5ª, 6ª, 7ª e 8ª Riga: 2 cat., salt. la prima m.a., * m.a.r.dtr. intorno alle 4 m.a. succ., m.a.r.dav. intorno alle 4 m.a. succ.; rip. da * finendo l'ultima rip. con 1 m.a. nella 2ª delle 2 cat., volt.

9ª Riga: 2 cat., salt. la prima m.a., * m.a.r.dav. intorno alle 4 m.a. succ., m.a.r.dtr. intorno alle 4 m.a. succ.; rip. da * finendo l'ultima rip. con 1 m.a. nella 2ª delle 2 cat., volt.

Rip. dalla 2ª alla 9ª riga per la lunghezza necessaria, finendo con una 4ª riga.

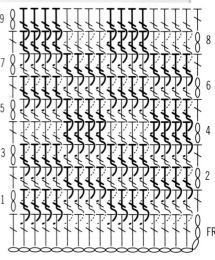

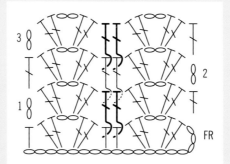

MOTIVI JACQUARD

I motivi jacquard si eseguono in due o più colori, in genere a maglia bassa, sulla base di un diagramma.
Questo tipo di lavorazione a uncinetto produce un tessuto solido e variopinto con un aspetto "intrecciato".

Iniziate avviando la catenella di base nel primo colore. Calcolate il numero di catenelle da avviare in base al numero delle volte che avete intenzione di ripetere il motivo, quindi aggiungete una catenella per voltare. Sulla prima riga, eseguite il primo punto nella seconda catenella partendo dall'uncinetto, quindi lavorate a maglia bassa per il resto della riga. Ogni quadretto corrisponde a un punto. Se cambiate i colori, mettete quello che non state usando dietro al lavoro e riprendetelo quando ne avete bisogno. Questa tecnica è particolarmente adatta se le aree di colore sono piuttosto strette.

Leggete le righe con i numeri pari (rovescio) da sinistra verso destra

Leggete le righe con i numeri dispari (dritto) da destra verso sinistra

Aggiungete nuovi colori come da schema

12
10
8
6
4
2

11
9
7
5
3
1

Ripetizione di 10 punti

Ogni quadretto corrisponde a un punto

Iniziate dall'angolo in basso a destra e lavorate verso l'alto

ESEGUIRE UN MOTIVO JACQUARD BICOLORE

1 Avviate la catenella di base nella lunghezza necessaria con il colore A, voltate e iniziate a lavorare la prima riga dello schema. Non chiudete l'ultimo punto basso eseguito con il colore A, così da avere due asole sull'uncinetto.

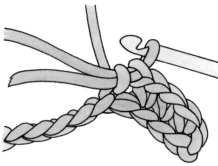

2 Aggiungete il colore B facendo passare un'asola del nuovo colore attraverso le due sull'uncinetto. In questo modo chiudete la maglia bassa eseguita con il colore A, che non va tagliato.

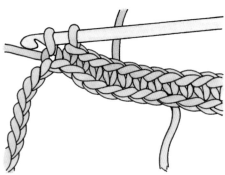

3 Proseguite nello schema con il colore B. Una volta raggiunto l'ultimo punto eseguito con questo colore, mettetelo dietro al lavoro e riprendete quello A. Estraetene una maglia per completare la variazione di colore e chiudete l'ultimo punto eseguito con il colore B. Continuate ad alternare i colori in questo modo per tutta la riga, ripetendo il motivo come viene indicato nello schema.

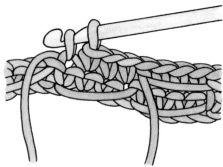

4 Alla fine della riga, voltate e seguite lo schema nella direzione opposta, da sinistra verso destra. Quando cambiate colore, portate avanti il colore precedente e dietro quello nuovo per chiudere il punto parzialmente eseguito nell'altro colore. Mettete il colore che non state usando sul rovescio del lavoro.

RACCOLTA DI PUNTI

LEGENDA PER STRISCE JACQUARD

colore A

colore B

LEGENDA PER SCACCHIERA JACQUARD

colore A

colore B

colore C

colore D

STRISCE JACQUARD

Eseguire più ripetizioni di questo semplice motivo a righe di due colori vi servirà come esercizio. È importante mettere il filo che non state usando dietro al lavoro per evitare che il motivo non si tiri e si deformi.

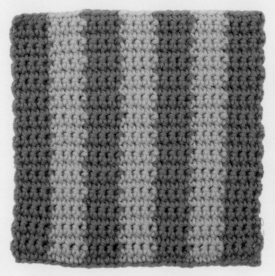

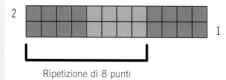

Ripetizione di 8 punti

SCACCHIERA JACQUARD

Questo motivo a scacchiera è composto da quattro colori diversi. L'ideale sarebbe usare quattro tonalità differenti dello stesso colore. Scegliete una tonalità chiara, una scura e due medie leggermente in contrasto.

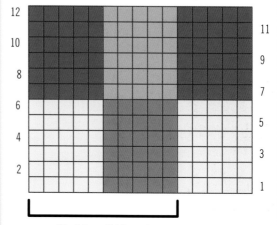

Ripetizione di 10 punti

MOTIVI A INTARSIO

L'uncinetto a intarsio è caratterizzato dalla visibilità del suo disegno su entrambi i lati del lavoro.
Questi motivi vengono eseguiti in due o più colori, partendo da uno schema, in modo simile a quelli jacquard.

La differenza principale tra l'uncinetto a intarsio e quello jacquard è che nel primo le aree colorate sono più grandi e a volte di forma irregolare, quindi i colori che non vengono utilizzati non si possono mettere dietro al lavoro. Per ogni colore, infatti, si utilizza un gomitolo di filato diverso. Avviate la catenella di base nel primo colore, lavorando il numero di catenelle corrispondente a quello dei punti presenti nello schema, più una catenella per voltare. Se dovete eseguire un motivo a intarsio ripetuto, calcolate il numero di catenelle da realizzare come se si trattasse di uno schema jacquard.

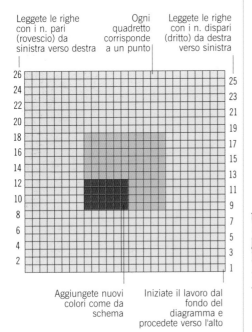

Leggete le righe con i n. pari (rovescio) da sinistra verso destra	Ogni quadretto corrisponde a un punto	Leggete le righe con i n. dispari (dritto) da destra verso sinistra

26 — 25
24 — 23
22 — 21
20 — 19
18 — 17
16 — 15
14 — 13
12 — 11
10 — 9
8 — 7
6 — 5
4 — 3
2 — 1

Aggiungete nuovi colori come da schema	Iniziate il lavoro dal fondo del diagramma e procedete verso l'alto

Vedi anche: **motivi jacquard, pag. 66**

MOTIVO A INTARSIO

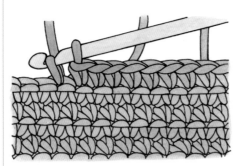

1 Usate il colore di base A per la lunghezza necessaria, voltate ed eseguite a maglia bassa le righe in tinta unita in basso nello schema. Eseguite la prima riga multicolore, iniziando dal colore A. Quando cambiate il colore, non chiudete il punto prima della variazione, lasciando due asole sull'uncinetto. Aggiungete il colore successivo estraendo una maglia del nuovo colore attraverso le due asole. In questo modo chiudete l'ultimo punto con il nuovo colore. Proseguite allo stesso modo lungo la riga.

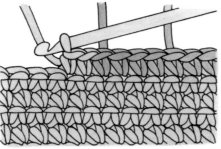

2 Quando arrivate all'ultimo cambiamento di colore della riga, dove il diagramma indica di tornare al colore A, lavorate con un altro gomitolo dello stesso filato, ma non con quello che avete usato per iniziare la riga.

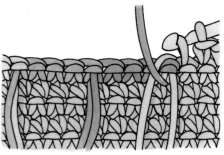

3 Alla fine della riga voltate e seguite lo schema nella direzione opposta, da sinistra verso destra. Per ogni variazione di colore, portate avanti il filo vecchio e dietro quello nuovo per chiudere il punto eseguito parzialmente con il colore vecchio, assicurandovi di attorcigliare il filo nuovo attorno a quello vecchio sul rovescio del lavoro, per evitare la comparsa di buchi.

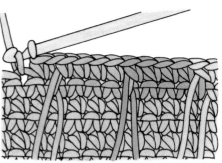

4 Alla fine delle righe sul rovescio, controllate di aver riportato tutti i fili a loro posto sul rovescio del lavoro.

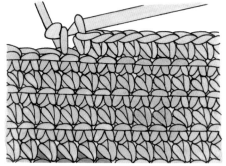

5 Quando raggiungete nuove aree di colore più in alto nello schema, aggiungete i nuovi fili come prima, facendo in modo che ogni colore cambi in corrispondenza dell'ultimo punto nel colore precedente.

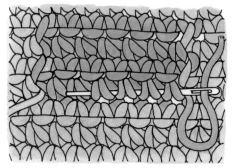

6 Quando arrivate al punto in cui tutti i punti della riga sono stati eseguiti con il colore A, lavorate su tutti i punti usando il gomitolo iniziale in questo colore, procedendo da destra verso sinistra.

7 Bisogna fare ancora più attenzione quando si devono sistemare i capi di tutti i fili su un pezzo a intarsio. Fissate bene ogni capo in un'area all'uncinetto eseguita con lo stesso colore in modo che non risulti visibile sul dritto.

RACCOLTA DI PUNTI

BLOCCHI A INTARSIO

Questo semplice motivo a blocchi vi permetterà di fare esercizio con le variazioni di colore a intarsio. Potete riprodurre esattamente questo motivo oppure ripeterlo più volte per ottenere un pezzo all'uncinetto più grande.

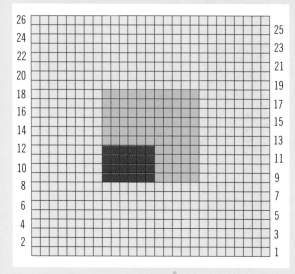

LEGENDA

colore A
colore B
colore C
colore D

LAVORAZIONE TUBOLARE

L'uncinetto tubolare viene eseguito "a giro", usando i classici uncinetti. Sebbene i giri vengano realizzati e uniti come per il motivo tondo, l'effetto prodotto è molto diverso.

Con questa tecnica potete ottenere un cilindro che può essere largo o stretto, a vostro piacere. Questa lavorazione manuale permette di confezionare un oggetto, per esempio un copricapo, in un unico pezzo, senza cuciture. Potete combinare i cilindri con altre decorazioni o lavori all'uncinetto piatti per realizzare indumenti e accessori.

La lavorazione tubolare si può eseguire in tre modi diversi ma ognuno di essi inizia con un pezzo di catenella chiusa ad anello. Potete realizzare giri di punti bassi senza unirli, ottenendo così una forma a spirale. Usando dei punti come quelli alti invece, ogni giro viene chiuso per realizzare una cucitura. Se voltate il lavoro alla fine di ogni giro, otterrete una cucitura dritta, se continuate a lavorare nella stessa direzione su ogni giro, la cucitura si avvolgerà a spirale attorno al cilindro.

Cilindro a maglia bassa lavorato a spirale.

Cilindro a maglia alta eseguito voltando.

Cilindro a maglia alta eseguito senza voltare.

Vedi anche: **lavorazione in tondo, pag. 72**

CILINDRO A SPIRALE A MAGLIA BASSA

1 Avviate una catenella della lunghezza opportuna, quindi chiudetela ad anello con una maglia bassissima. Voltate ed eseguite una riga di maglia bassa nel cerchio. Unite il giro eseguendo una maglia bassa nel primo punto.

2 Inserite un segnamaglia scorrevole nella maglia bassa lavorata per segnare l'inizio di un nuovo giro. Continuate il nuovo giro, lavorando una maglia bassa in ogni punto del giro precedente.

3 Quando arrivate al segnamaglia, non unite il giro. Toglietelo e lavorate il punto segnato.

4 Spostate il segnamaglia nel nuovo punto per indicare l'inizio del nuovo giro. Continuate la lavorazione tubolare, spostando il segnamaglia ogni volta che lo raggiungete, fino a quando il cilindro sarà della lunghezza desiderata, quindi affrancate il filo.

CILINDRO A MAGLIA ALTA ESEGUITO SENZA VOLTARE

1 Avviate una catenella della lunghezza opportuna, quindi chiudetela ad anello con una maglia bassissima.

2 Eseguite tre catenelle (o il numero di catenelle corrispondente al punto che state usando) per avviare il primo giro.

3 Lavorate una maglia alta in ogni catenella fino a raggiungere la fine del giro.

4 Unite il primo giro eseguendo una maglia bassissima nella terza delle tre catenelle per voltare.

5 Continuate a eseguire il giro successivo e quelli seguenti a maglia alta, unendo ogni giro con una maglia bassissima come prima. Una volta realizzati tutti i giri, affrancate il filo.

CILINDRO A MAGLIA ALTA ESEGUITO VOLTANDO

1 Eseguite la catenella di base e il primo giro di punti come nel passaggio 1 sopra. Unitela con una maglia bassissima e lavorate tre catenelle.

2 Voltate il cilindro per invertire la direzione ed eseguite tre catenelle per avviare il giro successivo. Esso verrà realizzato dall'interno del cilindro.

3 Lavorate un punto alto in ogni maglia fino a raggiungere la fine del giro.

4 Unite il giro eseguendo una maglia bassissima nella terza delle tre catenelle per voltare. Voltate ed eseguite tre catenelle, quindi realizzate il giro successivo dall'esterno del cilindro. Ripetete dal passaggio 2, ricordandovi di voltare il lavoro all'inizio di ogni giro.

LAVORAZIONE IN TONDO

Lavorare giri tondi piatti a uncinetto, invece che righe di andata e ritorno dritte, offre nuove possibilità per creare pezzi variopinti e intricati per centrini e moduli.

I motivi a uncinetto vengono eseguiti verso l'esterno partendo da un anello centrale e aumentando il numero di maglie a ogni giro. Gli aumenti equidistanti danno un motivo tondo piatto, se invece sono raggruppati, per realizzare degli angoli, si ottiene un quadrato, un esagono o un'altra figura piatta. I motivi possono essere in tinta unita, in rilievo o traforati. Essi vengono uniti usando diverse tecniche per confezionare copertine, scialli e sciarpine ma anche indumenti dalle linee semplici.

LAVORAZIONE A GIRO

Generalmente, per iniziare la lavorazione a giro, si avvia una breve catenella e la si chiude ad anello. Esso può essere di qualsiasi dimensione, in base alla spiegazione fornita dallo schema, e presentare un foro più o meno grande al centro del motivo.

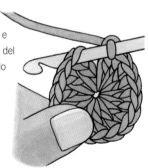

Vedi anche: **tecniche di base, pag. 12
cambiare o giuntare il filo, pag. 22**

AVVIARE UN ANELLO

1 Iniziate a realizzare l'anello di base avviando una catenella. Avviate il numero di catenelle indicato nello schema.

2 Unite le catenelle ad anello, eseguendo una maglia bassissima nel primo punto della catenella di base.

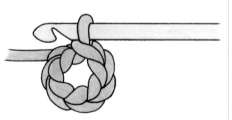

3 Stringete delicatamente il primo punto, tirando il capo del filo lento con la mano sinistra. Avete così ultimato l'anello di base.

LAVORARE NELL'ANELLO

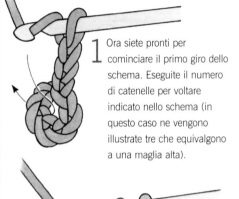

1 Ora siete pronti per cominciare il primo giro dello schema. Eseguite il numero di catenelle per voltare indicato nello schema (in questo caso ne vengono illustrate tre che equivalgono a una maglia alta).

2 Puntando ogni volta l'uncinetto nello spazio al centro dell'anello, lavorate il numero esatto di maglie come indicato nello schema. Contate le maglie alla fine di ogni giro per assicurarvi di averne eseguito il numero corretto.

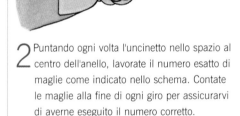

3 Unite il primo e l'ultimo punto del giro eseguendo una maglia bassissima in cima alla catenella per voltare.

ESEGUIRE UN ANELLO DI FILO

Questo metodo alternativo per eseguire l'anello di base è utile poiché il capo del filo viene incluso nel primo giro di punti e quindi non sarà necessario fissarlo più avanti. Non usate fili troppo lisci come il cotone mercerizzato o quelli misto seta, altrimenti il capo del filo potrebbe rimanere lento.

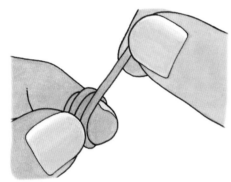

1 Tenete il capo del filo tra il pollice e l'indice della mano sinistra e avvolgete il filo più volte attorno alla punta dell'indice.

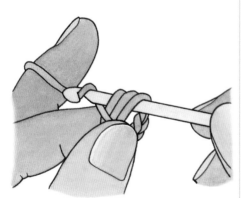

2 Togliete con cura il dito dall'anello di filo. Puntando l'uncinetto nell'anello, estraete una maglia e lavorate un punto basso per fissare l'anello. Eseguite il numero indicato di catenelle per voltare e il primo giro dello schema come di consueto.

FISSARE IL FILO

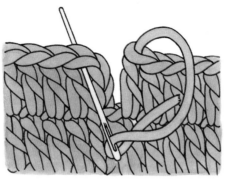

1 Per ottenere un bordo davvero rifinito sull'ultimo giro, usate questo metodo per cucire insieme il primo e l'ultimo punto invece di quello con la maglia bassissima illustrato sopra. Tagliate il filo, lasciando un capo di 10 cm circa ed estraetelo attraverso l'ultima maglia. Con il dritto rivolto verso di voi, infilate il capo in un ago da lana e inseritelo sotto entrambe le asole del punto accanto alla catenella per voltare.

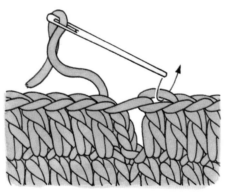

2 Fate passare l'ago e infilatelo al centro dell'ultimo punto del giro. Completate il punto sul rovescio, regolate la lunghezza del punto per chiudere il giro, quindi affrancate il capo sul rovescio come di consueto.

UNIRE I MOTIVI TONDI

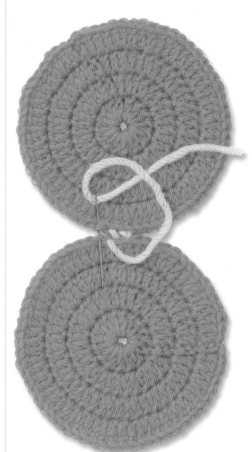

Spesso i motivi tondi vengono realizzati con diversi fili e in diverse dimensioni per confezionare per esempio presine e tovagliette. È un po' più difficile unirli rispetto ai motivi a lati dritti per via della forma incurvata. L'ideale è disporli in fila e cucirli con qualche punto dove le curve combaciano.

RACCOLTA DI PUNTI

LEGENDA DEI PUNTI

Catenella	
Maglia bassissima	·
Maglia bassa	+
Maglia alta	
Grappolo iniziale	
Grappolo costituito da 3 maglie alte	
Grappolo iniziale costituito da 3 maglie alte	
Grappolo costituito da 4 maglie alte	
Fissare il filo	◄
Unire	◁

CERCHIO A SPICCHI

Filo: di un colore.

Anello di base: 6 cat. unite con 1 m.bss. Per formare un anello.

1° Giro: 5 cat. (equivalenti a 1 m.a., 2 cat.), [1 m.a., 2 cat.] nell'anello 7 volte, unite con 1 m.bss. nella 3ª delle 5 cat. (8 m.a. spaziate).

2° Giro: 3 cat. (equivalenti a 1 m.a.), 2 m.a. nello stesso punto, 2 cat., [3 m.a. nella m.a. succ., 2 cat.] 7 volte, unite con 1 m.bss. nella 3ª delle 3 cat.

3° Giro: 3 cat. (equivalenti a 1 m.a.), 1 m.a. nello stesso punto, 1 m.a. nella m.a. succ., 2 m.a. nella m.a. succ., 2 cat., [2 m.a. nella m.a. succ., 1 m.a. nella m.a. succ., 2 m.a. nella m.a. succ., 2 cat.] 7 volte, unite con m.bss. nella 3ª delle 3 cat.

4° Giro: 1 cat., 1 m.b. in tutte le m.a. del giro prec., lavorando 2 m.b. in ogni sp. di 2 cat., unire con 1 m.bss. nella prima m.b.

Affrancate il filo.

CERCHIO A MAGLIA ALTA

Filo: di un colore.

Anello di base: 6 cat. unite con 1 m.bss. Per formare un anello.

1° Giro: 3 cat. (equivalenti a 1 m.a.), 15 m.a. nell'anello, unite con 1 m.bss. nella 3ª delle 3 cat. (16 m.a.).

2° Giro: 3 cat. (equivalenti a 1 m.a.), 1 m.a. nello stesso punto, 2 m.a. in ogni m. del giro prec., unite con 1 m.bss. nella 3ª delle 3 cat. (32 m.a.).

3° Giro: 3 cat. (equivalenti a 1 m.a.), 1 m.a. nello stesso punto, *[1 m.a. nella m. succ., 2 m.a. nella m. succ.]; rip. da * fino all'ultima m., 1 m.a. nell'ultima m., unite con 1 m.bss. nella 3ª delle 3 cat. (48 m.a.).

4° Giro: 3 cat. (equivalenti a 1 m.a.), 1 m.a. nello stesso punto, *[1 m.a. nelle 2 m. succ., 2 m.a. nella m. succ.]; rip. da * fino alle ultime 2 m., unite con 1 m.bss. nella 3ª delle 3 cat. (64 m.a.).

Affrancate il filo.

Potete realizzare questo cerchio più grande, eseguendo uno o più punti alti tra gli aumenti ad ogni giro successivo.

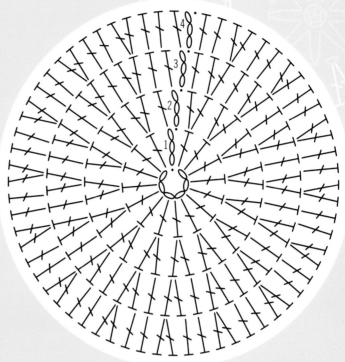

CERCHIO A RIGHE A MAGLIA ALTA

Eseguite questo motivo usando lo stesso schema per un cerchio a maglia alta classico ma cambiate il colore del filo a ogni giro. Lasciate un capo di filo lungo 10 cm circa ogni volta che cambiate colore e fissatene le estremità sul rovescio una volta completato il cerchio.

▶ **Continua alla pagina seguente**

CERCHIO A RAGGIERA

Filo: tre colori: A, B e C.

Abbreviazioni speciali: grp. Iniz. = grappolo iniziale costituito da 2 m.a., grp. = grappolo costituito da 3 m.a.

Anello di base: usando il filo A, 4 cat. unite con 1 m.bss. per formare un anello.

1° Giro: 1 cat., 6 m.b. nell'anello, unite con 1 m.bss. nella prima m.b.

2° Giro: 1 cat., 2 m.b. nella m.b. succ. 6 volte, unite con m.bss. nella prima m.b. (12 m.b.)

3° Giro: 1 cat., 2 m.b. nella m.b. succ. 12 volte, unite con 1 m.bss. nella prima m.b. (24 m.b.) tagliate il filo A.

4° Giro: unite il filo B a una m.b., 3 cat. (equivalenti a 1 m.a.), grp. iniz. nella stessa m.b., 2 cat., salt. la m.b. succ., * grp. nella m.b. succ., 2 cat., salt. m.b. succ.; rip. da * 10 volte, unite con 1 m.bss. in cima al grp. iniz. Tagliate il filo B.

5° Giro: unite il filo C a ogni sp. di 2 cat., 3 cat. (equivalenti a 1 m.a.), grp. iniz. nello stesso sp., 3 cat., * grp. nello sp. di 2 cat. succ., 3 cat., rip. da * 10 volte, unite con 1 m.bss. in cima al grp. iniz.

6° Giro: 3 cat., 2 m.a. in cima al grp. iniz., 3 m.a. nello sp. di 3 cat. succ., * 3 m.a. in cima al grp. succ., 3 m.a. nello sp. di 3 cat. succ; rip. da * 10 volte, unite con 1 m.bss. nella 3ª delle 3 cat. Affrancate il filo.

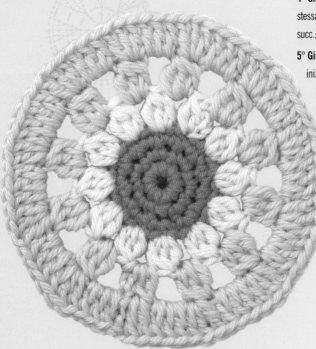

Vedi a pag. 74 la legenda dei punti

CERCHIO CON GRAPPOLI

Filo: di un colore.

Abbreviazioni speciali: grp. Iniz. = grappolo iniziale costituito da 3 m.a., grp. = grappolo costituito da 4 m.a.

Anello di base: 6 cat. unite con 1 m.bss. per formare un anello.

1° Giro: 1 cat., 12 m.b. nell'anello, unite con 1 m.bss. nella prima m.b.

2° Giro: 4 cat. (equivalenti a 1 m.a., 1 cat.), * 1 m.a. nella m.b. succ., 1 cat., rip. da * 10 volte, unite con 1 m.bss. nella 3ª delle 4 cat. (12 m.a. spaziate).

3° Giro: 1 m.bss. nello sp. di 1 cat., 3 cat. (equivalenti a 1 m.a.), grp. iniz. nello stesso sp., 3 cat., * grp. nello sp. di 1 cat. succ., 3 cat., rip. da * 10 volte, unite con 1 m.bss. in cima al grp. iniz. (12 grappoli).

4° Giro: 1 m .bss. nello sp. di 3 cat. succ., 3 cat. (equivalenti a 1 m.a.), grp. iniz. nello stesso sp., * 2 cat., 1 m.a. in cima al grp. succ., 2 cat., ** grp. nello sp. di 3 cat. succ.; rip. da * 10 volte e da * a ** un'altra volta, unite con 1 m.bss. in cima al grp. iniz.

5° Giro: 1 cat., 3 m.b. in tutti gli sp. di 2 cat. del giro prec., unite con 1 m.bss. nella prima m.b.

Affrancate il filo.

LAVORARE E UNIRE I MODULI

I motivi quadrati, detti moduli, vengono realizzati in modo simile a quelli tondi, partendo al centro con una catenella di base e lavorando verso l'esterno a giri.

I punti o le catenelle in più vengono eseguiti a intervalli regolari su alcuni giri per ottenere gli angoli. Per alcuni (quadrato della nonna) si inizia con un piccolo cerchio al centro, mentre per altri (cerchio in un quadrato) si eseguono molti giri prima di realizzare gli angoli.

UNIRE I MODULI

I moduli si possono cucire o unire con righe di maglia bassissima o maglia bassa. Per far sì che la giuntura si noti il meno possibile, eseguite i punti attraverso le asole sul rovescio del lavoro. Per realizzare una giuntura più forte ma anche più evidente, eseguite i punti attraverso tutte le asole.

UNIRE I MODULI CUCENDOLI

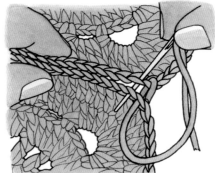

1. Disponete i moduli nell'ordine corretto con il dritto rivolto verso l'alto. Procedendo per righe orizzontali, cuciteli insieme, cominciando dalla riga in cima ai moduli. Iniziate a cucire dal bordo destro dei primi due moduli, entrando nell'asola posteriore delle maglie corrispondenti.

Vedi anche: **tecniche di base, pag. 12**
lavorazione in tondo, pag. 72

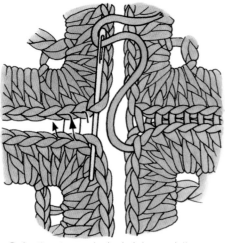

2. Continuate a cucire i primi due moduli, facendo attenzione a unire solo le asole dietro dei bordi, fino a raggiungere l'angolo sinistro. Allineate i due motivi successivi, fatevi passare il filo e uniteli allo stesso modo. Per rafforzare il lavoro, potete eseguire due punti nelle asole degli angoli prima e dopo aver fatto passare il filo. Continuate a unire i moduli lungo la riga, poi affrancate i capi del filo con cura all'inizio e alla fine della cucitura. Ripetete fino a unire tutti i bordi orizzontali dei moduli.

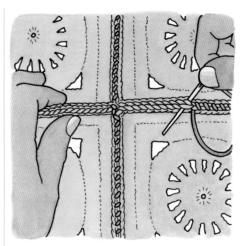

3. Voltate il lavoro a uncinetto in modo che i bordi non cuciti dei moduli siano in orizzontale. Procedendo come sopra, unite i restanti bordi con righe orizzontali di cucitura. Mentre eseguite gli angoli, portate l'ago sotto al punto realizzato sulla riga precedente.

CONSIGLIO

Se dovete cucire due moduli di colore diverso, usate un filo che si abbini a uno dei due affinché i punti siano meno evidenti.

UNIRE I MODULI CON LA MAGLIA BASSISSIMA

Unire i moduli a maglia bassissima a uncinetto permette di ottenere una cucitura solida con un piacevole rilievo sul dritto. Per ottenere un effetto più interessante, usate un filo di un colore contrastante.

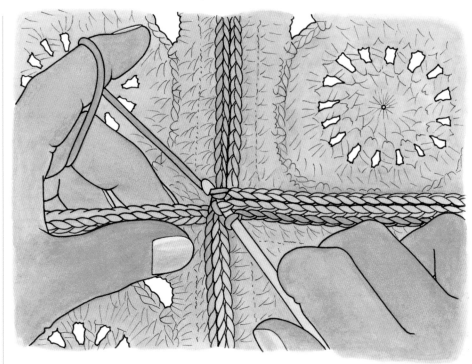

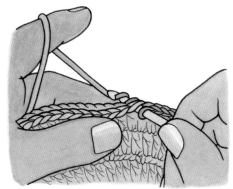

1 Disponete i moduli come sopra ed eseguite prima tutte le cuciture orizzontali. Accostate i primi due moduli, con il rovescio rivolto verso di voi ed eseguite una riga di maglie bassissime attraverso le asole di ogni modulo.

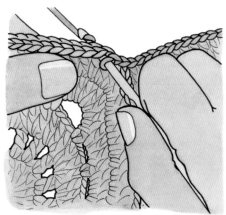

2 Una volta raggiunto l'angolo, allineate i due moduli successivi, fatevi passare il filo e uniteli allo stesso modo. Continuate a unire i moduli lungo la riga allo stesso modo, mantenendo una tensione uniforme. Affrancate bene i capi del filo, quindi ripetete fino a quando avrete unito tutti i bordi orizzontali.

3 Voltate il lavoro in modo che i restanti bordi dei moduli siano in orizzontale. Procedendo come sopra, unite i bordi con righe orizzontali di maglie bassissime. Quando eseguite gli angoli, fate passare il filo attraverso il rilievo.

CONSIGLIO

Se vi risulta difficile entrare con l'uncinetto nei bordi dei moduli, usatene uno di misura più piccola o con una punta più aguzza.

UNIRE CON LA MAGLIA BASSA

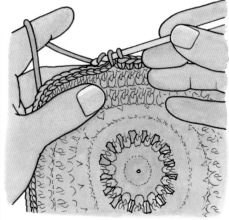

I bordi si possono unire anche a maglia bassa, ma la cucitura risulta più grossa ed evidente. Fate combaciare i moduli, diritto contro diritto, e lavorate la maglia bassa attraverso entrambe le asole dei bordi.

RACCOLTA DI PUNTI

LEGENDA DEI PUNTI

Catenella · ○

Maglia bassa · +

Maglia bassissima · •

Maglia alta · ⊤

Maglia alta doppia · ⊤

Grappolo iniziale costituito da 2 maglie alte

Grappolo costituito da 3 maglie alte

Affrancare il filo · ◄

Unire · ◁

QUADRATO DI CROYDON

Filo: tre colori: A, B e C.

Abbreviazioni speciali: grp. iniz. = grappolo iniziale costituito da 2 m.a., grp. = grappolo costituito da 3 m.a.

Anello di base: usando il filo A, 4 cat. unite con 1 m.bss. per formare un anello.

1° Giro: 4 cat. (equivalenti a 1 m.a., 1 cat.), [1 m.a nell'anello, 1 cat.] 11 volte, unite con 1 m.bss. nella 3ª delle 4 cat. (12 m.a. spaziate).

2° Giro: 3 cat. (equivalenti a 1 m.a.), grp. iniz. nello stesso sp., [3 cat., grp. nella cat. succ., 1 sp.] 11 volte, 3 cat., unite con 1 m.bss. in cima al grp. iniz.

3° Giro: 1 m.bss. nella m. centrale dello sp. di 3 cat. succ., 1 cat., 1 m.b. nello stesso sp., [5 cat., 1 m.b. nello sp. di 3 cat. succ.] 11 volte, unite con 1 m.bss. nella prima m.b. Tagliate A.

4° Giro: aggiungete B alla m. centrale di uno sp. di 5 cat., 3 cat., 4 m.a. nello stesso sp., * 1 cat., 1 m.b. nello sp. di 5 cat. succ., 5 cat., 1 m.b. nello sp. di 5 cat. succ., 1 cat., ** [5 m.a., 3 cat., 5 m.a.] nello sp. di 5 cat. succ.; rip. da * 2 volte e da * a ** ancora una volta, 5 m.a. nello sp. di 5 cat. succ., 3 cat., unite con 1 m.bss. nella 3ª delle 3 cat. Tagliate B.

5° Giro: unite C a uno sp. di 3 cat., 3 cat. (equivalenti a 1 m.a.), [1 m.a., 2 cat., 2 m.a.] nello stesso sp., * 1 m.a. nelle 4 m.a. succ., 4 cat., 1 m.b. nello sp. di 5 cat. succ., 4 cat., salt. la m.a. succ., 1 m.a. nelle 4 m.a. succ., ** [2 m.a., 2 cat., 2 m.a.] nello sp. di 3 cat. succ.; rip. da * 2 volte e da * a ** ancora una volta, unite con 1 m.bss. nella 3ª delle 3 cat.

6° Giro: 1 m.bss. nella m.a. succ. e nello sp. di 2 cat. succ., 3 cat., [1 m.a., 2 cat., 2 m.a.] nello stesso sp., * 1 m.a. nelle 4 m.a. succ., [4 cat., 1 m.b. nello sp. di 4 cat. succ.] 2 volte, 4 cat., salt. Le 2 m.a. succ., 1 m.a. nelle 4 m.a. succ., ** [2 m.a., 2 cat., 2 m.a.] nello sp. di 2 cat. succ.; rip. da * 2 volte e da * a ** ancora una volta, unite con 1 m.bss. nella 3ª delle 3 cat.

7° Giro: 1 cat., 1 m.b. nello stesso punto, 1 m.b. In tutte le m.a. del giro prec., eseguendo 4 m.b. In ogni sp. di 4 cat. lungo i lati e 3 m.b. in ogni sp. di 2 cat. per l'angolo, unite con 1 m.bss. nella prima m.b.

CERCHIO IN UN QUADRATO

Filo: di un colore.

Anello di base: 6 cat. unite con 1 m.bss. Per formare un anello.

1° Giro: 3 cat. (equivalenti a 1 m.a.), lavorate 15 m.a. nell'anello, unite con 1 m.bss. nella 3ª delle 3 cat. (16 m.a.).

2° Giro: 5 cat. (equivalenti a 1 m.a., 2 cat.), [1 m.a. nella m.a. succ., 2 cat.] 15 volte, unite con 1 m.bss. nella 3ª delle 5 cat.

3° Giro: 3 cat., 2 m.a. nello sp.di.2 cat., 1 cat., [3 m.a., 1 cat] in ogni sp.di.2 cat., unite con 1 m.bss. nella 3ª delle 3 cat.

4° Giro: * [3 cat, 1 m.b. nello sp. succ.] 3 volte, 6 cat. (sp. ad angolo), 1 m.b. nello sp.di.1 cat. succ.; rip. da * fino alla fine, unite con 1 m.bss. nella prima delle 3 cat.

5° Giro: 3 cat., 2 m.a. nel primo sp. di 3 cat., 3 m.a. nei 2 sp. di 3 cat. succ., * [5 m.a., 2 cat., 5 m.a.] nello sp. ad angolo, 3 m.a. nello sp. di 3 cat.; rip. da * fino alla fine, unite con 1 m.bss. nella 3ª delle 3 cat.

6° Giro: 3 cat., 1 m.a. in ogni m.a. del giro prec., eseguendo [1 m.a., 1 m.a.d., 1 m.a.] in ogni sp. di 2 cat. dello'angolo, unite con 1 m.bss. nella 3ª delle 3 cat.

Affrancate il filo.

▶ **Continua nella pagina seguente**

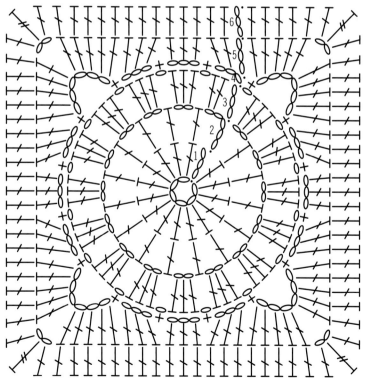

QUADRATO DELLA NONNA

Filo: quattro colori: A, B, C e D.

Anello di base: usando il filo A, 6 cat. unite con 1 m.bss. per formare un anello.

1° Giro: 3 cat. (equivalenti a 1 m.a.), 2 m.a. nell'anello, 3 cat., * 3 m.a. nell'anello, 3 cat.; rip. da * altre 2 volte, unite con 1 m.bss. nella 3ª delle 3 cat. Tagliate il filo a.

2° Giro: unite il filo B a uno sp. di 3 cat., 3 cat. (equivalenti a 1 m.a.), [2 m.a., 3 cat., 3 m.a.] nello stesso sp. (ad angolo), *1 cat., [3 m.a., 3 cat., 3 m.a.] nello sp. di 3 cat. succ.; rip. da * altre 2 volte, 1 cat., unite con 1 m.bss. nella 3ª delle 3 cat. Tagliate il filo B.

3° Giro: unite il filo C a uno sp. di 3 cat. dell'angolo, 3 cat. (equivalenti a 1 m.a.), [2 m.a., 3 cat., 3 m.a.] nello stesso sp., *1 cat., 3 m.a. nello sp. di 1 cat., ** [3 m.a., 3 cat., 3 m.a.] nello sp. di 3 cat. succ.; rip. da * 2 volte e da * a ** ancora una volta, unite con m.bss. nella 3ª delle 3 cat. Tagliate il filo C.

4° Giro: unite il filo D a uno sp. di 3 cat. dell'angolo, 3 cat. (equivalenti a 1 m.a.), [2 m.a., 3 cat., 3 m.a.] nello stesso sp., * [1 cat., 3 m.a.] In ogni sp. di 1 cat. Lungo il lato del quadrato, 1 cat., ** [3 m.a., 3 cat., 3 m.a.] nello sp. di 3 cat. succ. dell'angolo; rip. da * 2 volte e da * a ** ancora una volta, unite con 1 m.bss. nella 3ª delle 3 cat. Tagliate il filo D.

5° Giro: unite il filo A a uno sp. di 3 cat. dell'angolo, 3 cat. (equivalenti a 1 m.a.), [2 m.a., 3 cat., 3 m.a.] nello stesso sp., * [1 cat., 3 m.a.] in ogni sp. di 1 cat. lungo il lato del quadrato, 1 cat., ** [3 m.a., 3 cat., 3 m.a.] nello sp. di 3 cat. succ. dell'angolo; rip. da *.

6° Giro: 1 m.bss. nello sp. di 3 cat. succ. dell'angolo, 3 cat. (equivalenti a 1 m.a.), [2 m.a., 3 cat., 3 m.a.] nello stesso sp., * [1 cat., 3 m.a.] In ogni sp. di 1 cat. lungo il lato del quadrato, 1 cat., ** [3 m.a., 3 cat., 3 m.a.] nello sp. di 3 cat. succ. dell'angolo; rip. da * 2 volte e da * a ** ancora una volta, unite con 1 m.bss. nella 3ª delle 3 cat.

Affrancate il filo.

Vedi a pag. 80 la legenda dei punti

LAVORARE E UNIRE GLI ESAGONI

I moduli esagonali vengono eseguiti in modo simile a quelli tondi e quadrati ma sono necessarie diverse sequenze di aumenti per ottenere sei spigoli. I moduli esagonali, con un ultimo giro lavorato con un solo colore, si possono cucire o unire per realizzare pezzi più grandi come copertine, copridivani e scialli procedendo come per quelli quadrati.

Potete unire gli esagoni per formare lunghe strisce che a loro volta unirete oppure disporre semplicemente i pezzi nell'ordine desiderato e poi congiungere i bordi combacianti con cuciture separate. Prestate particolare attenzione nell'assicurare i capi del filo all'inizio e alla fine di ogni cucitura.

Quando unite dei motivi come l'esagono classico, che presenta un ultimo giro traforato, potete unirli insieme mentre lavorate.

ESEGUIRE GLI ESAGONI

La parte centrale dei moduli esagonali può essere di forma tonda o esagonale, a seconda dello schema. Se eseguite un motivo con il centro esagonale, ricordate che dovete realizzare sei angoli e non quattro come quelli necessari per un quadrato, quindi l'anello di base deve essere piuttosto lento per fare in modo che l'esagono ultimato risulti piatto.

Vedi anche: **tecniche di base, pag. 12**
lavorazione in tondo, pag. 72
lavorare e unire i quadrati, pag. 78

PARTIRE DALL'ESAGONO

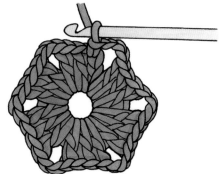

1 Avviate l'anello di base, quindi realizzate sei gruppi di maglie separate da spazi di catenella, come indicato nello schema, per ottenere un esagono. Unite il giro con una maglia bassissima come di consueto.

2 Sul secondo giro, lavorate due gruppi di maglie, separate da uno spazio di catenella, in tutti gli spazi di catenella sul giro precedente per proseguire a modellare l'esagono. Eseguite le righe successive come indicato nello schema.

PARTIRE DAL CERCHIO

1 Avviate l'anello di base, quindi eseguite il numero di maglie indicato nello schema. Le maglie creano un cerchio e si possono eseguire uniformemente o separare con un unico spazio di catenella. Unite il giro con una maglia bassissima come di consueto.

2 Sul secondo giro, eseguite gruppi di maglie separate da spazi di catenella. Si ottiene così un esagono in cui gli spigoli sono costituiti da spazi di catenella piuttosto che da gruppi di punti. Gli spazi di catenella fanno da base per gli angoli eseguiti sui giri successivi.

UNIRE GLI ESAGONI MENTRE SI LAVORA

Completate un modulo poi unite i bordi dei moduli successivi a quello di partenza mentre eseguite i giri finali. Potete unire i primi esagoni per realizzare una striscia e usarla come base sulla quale attaccare i restanti moduli, se state lavorando a un pezzo rettangolare, oppure iniziare semplicemente con un modulo e sviluppare il vostro lavoro dal centro verso l'esterno.

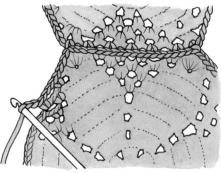

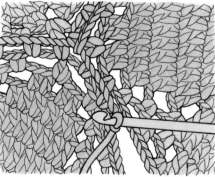

4 Eseguite una maglia alta per completare l'angolo, quindi procedete con la parte restante dell'ultimo giro come mostrato nello schema. Affrancate il filo.

2 Tornate al secondo esagono ed eseguite un punto alto per completare lo spigolo.

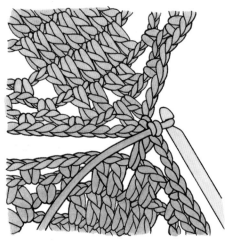

1 Eseguite il secondo modulo fino a raggiungere l'ultimo giro. Eseguite il primo lato del motivo, quindi lavorate la prima maglia alta del gruppo per l'angolo. Allineate i margini dei due esagoni e uniteli eseguendo una maglia bassa nello spazio di catenella dell'angolo sul primo esagono.

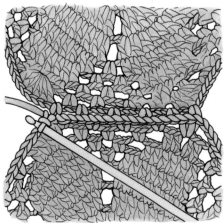

3 Continuate a lavorare attorno al secondo esagono, unendo insieme gli spazi di catenella di ogni esagono con un catenella, una maglia bassa nello spazio di catenella opposto e una catenella, fino ad arrivare all'angolo successivo. In corrispondenza dell'angolo, lavorate la prima maglia alta del motivo e una maglia bassa nello spazio di catenella del primo esagono.

5 Unite gli altri esagoni ai primi due allo stesso modo, unendo uno, due o più bordi a seconda delle necessità.

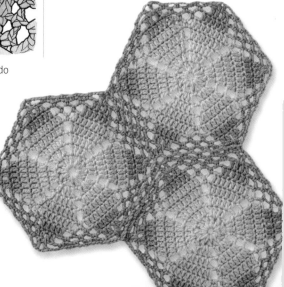

RACCOLTA DI PUNTI

ESAGONO CLASSICO

Filo: tre colori: A, B e C.

Anello di base: usando il filo A, 6 cat. unite con 1 m.bss. per formare un anello.

1° Giro: 4 cat. (equivalenti a 1 m.a., 1 cat.), [1 m.a nell'anello, 1 cat.] 11 volte, unite con 1 m.bss. nella 3ª delle 4 cat. (12 m.a. spaziate).

2° Giro: 3 cat. (equivalenti a 1 m.a.), 2 m.a. nello sp. di 1 cat. succ., 1 m.a. nella m.a. succ., 2 cat., * 1 m.a. nella m.a. succ., 2 m.a. nello sp. di 1 cat. succ., 1 m.a. nella m.a. succ., 2 cat.; rip. da * 4 volte, unite con 1 m.bss. nella 3ª delle 3 cat.

3° Giro: 3 cat., 1 m.a. nello stesso punto, 1 m.a. nelle 2 m.a. succ., 2 m.a. nella m.a. succ., 2 cat., * 2 m.a. nella m.a. succ., 1 m.a. nella 2 m.a. succ., 2 m.a. nella m.a. succ., 2 cat.; rip. da * 4 volte, unite con 1 m.bss. nella 3ª delle 3 cat. Tagliate il filo A.

4° Giro: unite il filo B, 3 cat., 1 m.a. nello stesso punto, 1 m.a. nelle 4 m.a. succ., 2 m.a. nella m.a. succ., 2 cat., * 2 m.a. nella m.a. succ., 1 m.a. nelle 4 m.a. succ., 2 m.a. nella m.a. succ., 2 cat.; rip. da * 4 volte, unite con 1 m.bss. nella 3ª delle 3 cat.

5° Giro: 3 cat., 1 m.a. nelle 7 m.a. succ., * 3 cat., 1 m.b. nello sp. di 2 cat. succ., 3 cat., 1 m.a. nelle 8 m.a. succ.; rip. da * 4 volte, 3 cat., 1 m.b. nello sp. di 2 cat. succ., 3 cat., unite con 1 m.bss. nella 3ª delle 3 cat. Tagliate il filo B.

6° Giro: unite il filo C. 1 m.bss. nella m.a. succ., 3 cat., 1 m.a. nelle 5 m.a. succ., * 3 cat., [1 m.b. nello sp.di 3 cat. succ., 3 cat.] 2 volte, salt. m.a. succ., 1 m.a. nelle 6 m.a. succ.; rip. da * 4 volte, 3 cat. [1 m.b. nello sp. di 3 cat. succ., 3 cat.] 2 volte, unite con 1 m.bss. nella 3ª delle 3 cat.

7° Giro: m.bss. nella m.a. succ., 3 cat., 1 m.a. nelle 3 m.a. succ., 3 cat., * [1 m.b. nello sp.di 3 cat. succ., 3 cat.] 3 volte, salt. m.a. succ., 1 m.a. nelle 4 m.a. succ.; rip. da * 4 volte, 3 cat. [1 m.b. nello sp. di 3 cat. succ., 3 cat.] 3 volte, unite con 1 m.bss. nella 3ª delle 3 cat.

8° Giro: m.bss. tra la 2ª e la 3ª m.a. del gruppo, 4 cat. (equivalenti a 1 m.a., 1 cat.), 1 m.a. nello stesso punto, * 3 cat., [1 m.b. nello sp. di 3 cat. succ., 3 cat.] 4 volte, [1 m.a., 1 cat., 1 m.a.] tra la 2ª e la 3ª m.a. del gruppo; rip. da * 4 volte, 3 cat., [1 m.b. nello sp. di 3 cat., 3 cat.] 4 volte, unite con 1 m.bss. nella 3ª delle 4 cat.

Affrancate il filo.

LEGENDA DEI PUNTI

Catenella	
Maglia bassissima	•
Maglia bassa	+
Maglia alta	
Maglia alta doppia	
Unire un nuovo colore	◀
Affrancate il filo	◁

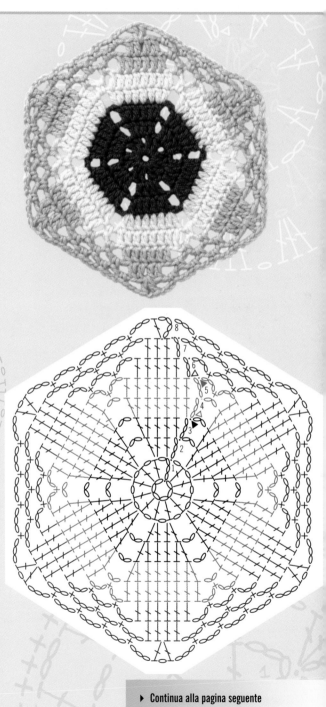

▸ **Continua alla pagina seguente**

RUOTA A ESAGONO

Filo: di un colore.

Anello di base: 6 cat. unite con 1 m.bss. per formare un anello.

1° Giro: 6 cat. (equivalenti a 1 m.a.d., 2 cat.), 1 m.a.d. nell'anello, * 2 cat., 1 m.a.d. nell'anello; rip. da * 9 volte, 2 cat., unite con 1 m.bss. nella 4ª delle 6 cat. (12 m.a.d. spaziate).

2° Giro: 1 m.bss. nello sp. di 2 cat. succ., 3 cat. (equivalenti a 1 m.a.), [1 m.a., 2 cat., 2 m.a.] nello stesso sp. di 2 cat. della m.bss., * 3 m.a. nello sp. di 2 cat. succ., [2 m.a., 2 cat., 2 m.a.] nello sp. di 2 cat. succ.; rip. da * 4 volte, 3 m.a. nello sp. di 2 cat. succ., unite con 1 m.bss. nella 3ª delle 3 cat.

3° Giro: 3 cat. (equivalenti a 1 m.a.), 1 m.a. nella m.a succ., [2 m.a., 3 cat., 2 m.a.] nello sp. di 2 cat. succ., 1 m.a. nelle 7 m.a. succ., * [2 m.a., 3 cat., 2 m.a.] nello sp. di 2 cat. succ., 1 m.a. nelle 7 m.a. succ.; rip. da * 4 volte, finendo l'ultima rip., unite con 1 m.bss. nella 3ª delle 3 cat.

4° Giro: 3 cat. (equivalenti a 1 m.a.), 1 m.a. nelle 3 m.a. succ., * 3 m.a. nello sp. di 3 cat. succ., 1 m.a. nelle 11 m.a. succ.; rip. da * 4 volte, 3 m.a. nello sp. di 3 cat. succ., 1 m.a. nelle 7 m.a. succ., unite con 1 m.bss. nella 3ª delle 3 cat.

Affrancate il filo.

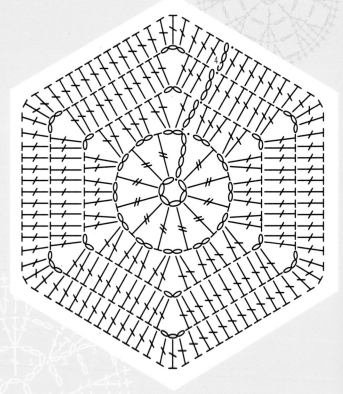

Vedi a pag. 85 la legenda dei punti

ESAGONO DELLA NONNA

Filo: tre colori: A, B e C.

Anello di base: usando il filo A, 8 cat. unite con 1 m.bss. per formare un anello.

1° Giro: 3 cat. (equivalenti a 1 m.a.), 2 m.a. nell'anello, 3 cat., * 3 m.a. nell'anello, 3 cat.; rip. da * 4 volte, unite con 1 m.bss. nella 3ª delle 3 cat. Tagliate il filo A.

2° Giro: unite il filo B a uno sp. di 3 cat., 3 cat. (equivalenti a 1 m.a.), [2 m.a., 3 cat., 3 m.a.] nello stesso sp. per realizzare l'angolo, * 1 cat., [3 m.a., 3 cat., 3 m.a.] nello sp. di 3 cat. succ. per fare l'angolo; rip. da * 4 volte, 1 cat., unite con 1 m.bss. nella 3ª delle 3 cat. Tagliate il filo B.

3° Giro: unite il filo C a uno sp. ad angolo, 3 cat., [2 m.a., 3 cat., 3 m.a.] nello stesso sp., * 1 cat., 3 m.a. nello sp. di 1 cat. succ., 1 cat., [3 m.a., 3 cat., 3 m.a.] nello sp. ad angolo succ.; rip. da * 4 volte, 1 cat., 3 m.a. nello sp. di 1 cat. succ., 1 cat., unite con 1 m.bss. nella 3ª delle 3 cat. Tagliate il filo C.

4° Giro: unite il filo B a uno sp. ad angolo, 3 cat., [2 m.a., 3 cat., 3 m.a.] nello stesso sp., * [1 cat., 3 m.a. in ogni sp. di 1 cat.] lungo il lato dell'esagono, 1 cat., [3 m.a., 3 cat., 3 m.a.] nello sp. ad angolo succ.; rip. da * 4 volte, [1 cat., 3 m.a. in tutti gli sp. di 1 cat.] lungo il lato dell'esagono, 1 cat., unite con 1 m.bss. nella 3ª delle 3 cat. Tagliate il filo B.

5° Giro: unite il filo B a uno sp. ad angolo, 3 cat., [2 m.a., 3 cat., 3 m.a.] nello stesso sp., * [1 cat., 3 m.a. in ogni sp. di 1 cat.] lungo il lato dell'esagono, 1 cat., [3 m.a., 3 cat., 3 m.a.] nello sp. ad angolo succ.; rip. da * 4 volte, [1 cat., 3 m.a. in tutti gli sp. di 1 cat.] lungo il lato dell'esagono, 1 cat., unite con 1 m.bss. nella 3ª delle 3 cat.

6° Giro: 1 cat., 1 m.b. in tutte le m.a. del giro prec., lavorando 1 m.b. in ogni sp. di 1 cat. lungo i lati dell'esagono e 3 m.b. in ogni sp. di 3 cat. ad angolo, unite con 1 m.bss. nella prima m.b.

Affrancate il filo.

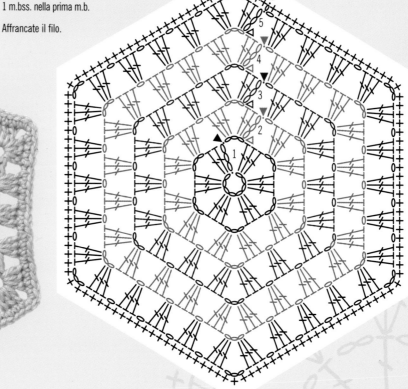

UNCINETTO TUNISINO

L'uncinetto tunisino combina le tecniche dell'uncinetto classico e della maglia e permette di ottenere un tessuto forte ed elastico. Gli uncinetti tunisini somigliano a lunghi ferri da maglia con un uncino a una estremità e sono disponibili in una vasta gamma di grandezze e lunghezze.

La lunghezza dell'uncinetto stabilisce la larghezza massima del pezzo. Ne esistono anche di flessibili con un uncino corto unito a un pezzo di spago flessibile con un fermo alla fine. Questi uncinetti sono più lunghi di quelli classici e vi permettono di eseguire lavori più larghi. Il filo e l'uncinetto si tengono allo stesso modo di quando si lavora con l'uncinetto classico.

PUNTO TUNISI SEMPLICE

Il punto tunisi viene creato su una catenella di base e ogni riga viene sviluppata in due fasi. Nella prima fase, la riga di andata, si raccoglie una serie di asole sul ferro, poi nella riga di ritorno queste asole vengono chiuse a coppie, senza voltare il lavoro. Il punto tunisi semplice (sotto) e quello più facile da eseguire. Gli altri punti costituiscono delle varianti e si ottengono entrando con l'uncinetto in diverse posizioni e variando l'esecuzione delle maglie.

1 Avviate una catenella di base come di consueto. Entrate con l'uncinetto nell'asola della seconda catenella prendendola da dietro, gettate il filo sull'uncinetto ed estraete una maglia attraverso la catenella in modo da avere due asole sull'uncinetto.

2 Entrate con l'uncinetto nell'asola della terza catenella, sempre prendendola da dietro, gettate il filo sull'uncinetto ed estraete una maglia in modo da avere tre asole sull'uncinetto.

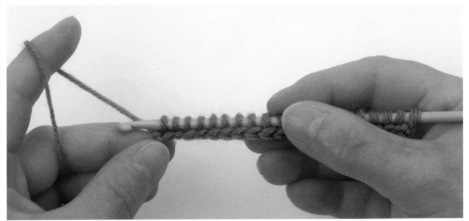

3 Ripetete lungo la riga fino a quando avrete raccolto un'asola da ogni catenella, completando così la riga di andata. Non voltate il lavoro.

Vedi anche: **tecniche di base, pag. 12**

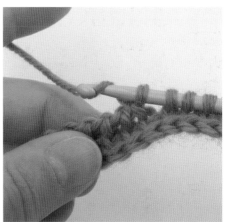

4 Gettate il filo sull'uncinetto ed estraete una maglia. Gettate il filo sull'uncinetto ed estraetelo attraverso le prime due maglie sull'uncinetto. Continuate a lavorare da sinistra verso destra, chiudendo due maglie alla volta fino a quando vi sarà rimasta solo una maglia sull'uncinetto.

6 Entrate con l'uncinetto sotto al filo verticale successivo, gettate il filo sull'uncinetto ed estraete una maglia in modo da avere tre asole sull'uncinetto. Ripetete lungo la riga fino ad avere una fila di maglie sull'uncinetto. Non voltate il lavoro.

7 Per lavorare la riga di ritorno, gettate il filo sull'uncinetto ed estraete la prima maglia su di esso, quindi completate la riga di asole come descritto nel passaggio 4, lasciandone una sull'uncinetto alla fine della riga. Ripetete dal passaggio 5 per la lunghezza necessaria, finendo con una riga di ritorno.

5 Per eseguire la seconda riga, saltate il primo filo verticale e puntate l'uncinetto da destra verso sinistra sotto quello verticale successivo, gettate il filo sull'uncinetto ed estraete una maglia avrete così due maglie sull'uncinetto.

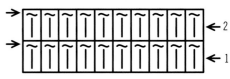

La larghezza del vostro lavoro a uncinetto tunisino dipende dalla lunghezza dell'uncinetto.

Questo diagramma mostra come lavorare il punto tunisi semplice (vedere pag. 90 la legenda dei punti).

RIFINIRE IL BORDO SUPERIORE DEL PUNTO TUNISI

Dopo aver realizzato un pezzo a punto tunisi, rifinitene il bordo superiore con una riga di maglia bassa per definirlo e rinforzarlo.

1 Gettate il filo sull'uncinetto ed estraete una maglia.

2 Entrate con l'uncinetto da destra verso sinistra sotto il secondo filo verticale, gettate il filo sull'uncinetto ed estraete una maglia in modo da avere due asole sull'uncinetto.

3 Gettate di nuovo il filo sull'uncinetto ed estraetelo attraverso le maglie su di esso per chiudere la maglia bassa.

4 Lavorate una maglia bassa sotto ogni filo verticale della riga, poi affrancate il filo.

RACCOLTA DI PUNTI

LEGENDA DEI PUNTI

Punto tunisi semplice

Maglia rasata tunisina

Punto tunisi traforato

Riga di andata ←

Riga di ritorno →

MAGLIA RASATA TUNISINA

Questa variante somiglia alla maglia rasata ai ferri sul dritto ma il tessuto è più fitto e compatto. Per eseguire questo punto potrebbe servirvi un uncinetto più grande.

Catenella di base: avviate tutte le catenelle necessarie più 1.

1ª Riga: (riga di andata) entrate con l'uncinetto nella seconda cat. dall'uncinetto, gett., estraete una m., * [entrate con l'uncinetto nella cat. succ., gett., estraete 1 maglia]; rip. da * fino alla fine, lasciando tutte le maglie sull'uncinetto. Non voltate.

1ª Riga: (riga di ritorno) gett., estraete 1 maglia sull'uncinetto, * [gett., estraete 2 maglie sull'uncinetto]; rip. da * fino alla fine, lasciando l'ultima maglia sull'uncinetto.

2ª Riga: (riga di andata) salt. il primo filo verticale, entrate con l'uncinetto dal davanti verso il dietro attraverso il filo verticale succ., gett., estraete 1 maglia, * [entrate con l'uncinetto dal davanti verso il dietro attraverso il filo verticale succ., gett., estraete 1 maglia]; rip. da * fino alla fine, lasciando tutte le maglie sull'uncinetto. Non voltate.

2ª Riga: (riga di ritorno) gett., estraete 1 maglia sull'uncinetto, * [gett., estraete 2 maglie sull'uncinetto]; rip. da * fino alla fine, lasciando l'ultima maglia sull'uncinetto. Rip. la 2ª riga per la lunghezza necessaria, finendo con una riga di ritorno.

Per rifinire il bordo superiore, lavorate come descritto a pag. 90 ma entrate con l'uncinetto da davanti a dietro di ogni filo verticale.

Affrancate il filo.

PUNTO TUNISI TRAFORATO

Questa variante produce un grazioso tessuto traforato con una buona morbidezza, perfetto per realizzare copertine o scialli.

Catenella di base: avviate tutte le catenelle necessarie più 1.

1ª Riga: (riga di andata) entrate con l'uncinetto nella terza cat. dall'uncinetto, gett., estraete 1 maglia, 1 cat., * [entrate con l'uncinetto nella cat. Succ., gett., estraete 1 maglia, 1 cat.]; rip. Da * fino alla fine, lasciando tutte le maglie sull'uncinetto. Non voltate.

1ª Riga: (riga di ritorno) gett., estraete 1 maglia sull'uncinetto, * [gett., estraete 2 maglie sull'uncinetto]; rip. da * fino alla fine, lasciando l'ultima maglia sull'uncinetto.

2ª Riga: (riga di andata) 1 cat., salt. il primo filo verticale, * [entrate con l'uncinetto sotto al filo orizzontale leggermente sopra e dietro a quello successivo, gett., estraete 1 maglia, 1 cat.]; rip. da * fino alla fine, lasciando tutte le maglie sull'uncinetto. non voltate.

2ª Riga: (riga di ritorno) gett., estraete 1 maglia sull'uncinetto, * [gett., estraete 2 maglie sull'uncinetto]; rip. da * fino alla fine, lasciando l'ultima maglia sull'uncinetto.

Rip. la 2ª riga per la lunghezza necessaria, finendo con una riga di ritorno.

Per rifinire il bordo superiore, lavorate come descritto a pag. 90 ma entrate con l'uncinetto sotto al filo orizzontale leggermente sopra e dietro a quello verticale successivo.

Affrancate il filo.

PUNTO TRAFORATO

Il punto traforato (detto anche punto peruviano) viene eseguito con un uncinetto classico e un grande ferro da maglia e permette di ottenere un tessuto morbido e molto simile al pizzo.

La lunghezza del ferro da maglia determina la larghezza del tessuto a uncinetto, quindi potrebbe essere necessario fare più strisce e poi cucirle insieme per raggiungere la larghezza desiderata. Questa tecnica viene usata per realizzare scialli, sciarpe, sciarpine e coperte. L'ideale è utilizzare un filo di lana liscia o uno morbido di mohair.

CHE LATO USARE

Usate o il lato liscio (sopra, in alto) o quello in rilievo (sotto, in basso) come dritto del vostro lavoro traforato.

IL PUNTO TRAFORATO

Ogni riga di punto traforato viene lavorata in due fasi. Nella prima fase, la riga di andata, vengono estratte delle maglie con l'uncinetto che sono trasferite man mano sul ferro. Nella riga di ritorno, tutte le maglie vengono fatte scivolare via dal ferro e unite insieme per formare dei gruppi. Per i principianti è preferibile realizzare una base di due righe come mostrato sotto, ma i più esperti possono eseguire la prima riga direttamente su una catenella di base.

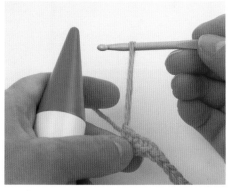

2 Iniziate la riga di andata (tenendo ben fermo il ferro da maglia sotto al braccio sinistro), allungate la maglia sull'uncinetto e fatela scivolare sul ferro.

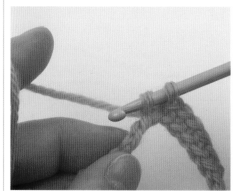

1 Avviate una catenella di base della larghezza necessaria, facendo in modo di avere un multiplo di cinque punti più la catenella per voltare. Voltate ed eseguite una riga a maglia bassa nella catenella.

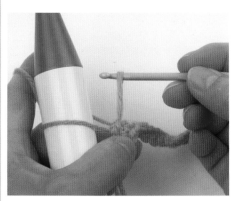

3 Entrate con l'uncinetto nel secondo punto, filo sull'uncinetto ed estraete una maglia, quindi allungatela e fatela scivolare sul ferro.

Vedi anche: **tecniche di base, pag. 12**

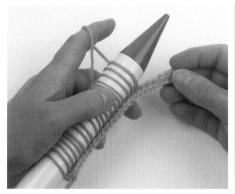

4 Estraete allo stesso modo una maglia attraverso tutti i punti della riga di base per finire la riga di andata. Assicuratevi che il numero di maglie sia multiplo di cinque.

6 Gettate il filo sull'uncinetto ed estraete una maglia al centro del gruppo di cinque asole e realizzate una catenella.

8 Per eseguire la riga di andata successiva, non voltate il lavoro. Allungate la prima asola sul ferro come prima e ripetete la riga di andata come sopra. Proseguite eseguendo alternativamente righe di andata e di ritorno fino a quando il tessuto avrà raggiunto la lunghezza desiderata, concludendo con una riga di ritorno.

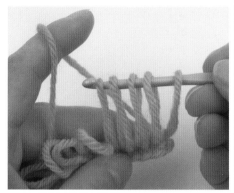

5 Iniziate la riga di ritorno (fate scivolare via tutte le asole dal ferro e tenete il lavoro con la mano sinistra). Entrate con l'uncinetto da destra verso sinistra, attraverso le prime cinque asole. All'inizio, se non vi sentite molto sicura, potete far scivolare dal ferro 5 maglie alla volta.

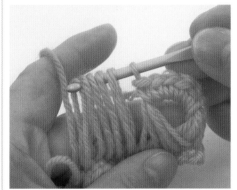

7 Eseguite cinque maglie basse attraverso il centro delle asole. Proseguite lungo la riga di asole allo stesso modo, raggruppando cinque asole alla volta e lavorando cinque maglie basse attraverso il centro delle asole per completare la prima riga di ritorno.

CONSIGLIO

All'inizio l'uncinetto traforato vi sembrerà piuttosto difficile, soprattutto nell'esecuzione delle righe di andata. Provate a tenere il ferro da maglia tra le ginocchia invece che sotto al braccio.

L'UNCINETTO A FORCELLA

Questa tecnica viene eseguita con un uncinetto tradizionale e una particolare forcella e permette di ottenere delle strisce di lavoro molto traforate che spesso vengono impiegate per decorare i bordi dei pezzi a uncinetto classici.

Le forcelle sono regolabili e quindi i lavori possono presentare ampiezze diverse. Le sbarrette di metallo vengono tenute ferme da due fermagli di plastica posti alle estremità e posizionabili vicini o lontani tra loro, per realizzare una striscia stretta o ampia. Nello spazio che separa le sbarrette, con il filo e l'uncinetto, vengono eseguite tante asole. Dopodiché, le asole vengono estratte dalle sbarrette, fatta eccezione per le ultime, affinché si possa proseguire con il lavoro. Una volta raggiunta la lunghezza desiderata, tutte le asole vengono tolte dalla forcella. Il pezzo lavorato con questa tecnica si può utilizzare esattamente così come si presenta oppure è possibile eseguire una riga di maglia bassa lungo il bordo ad asole, in base alla vostra preferenza.

Forcella regolabile

ESEGUIRE UN LAVORO A FORCELLA

1 Posizionate le sbarrette nel fermaglio inferiore, alla distanza desiderata. Eseguite l'asola iniziale con il filo, facendolo passare sopra la sbarretta sinistra.

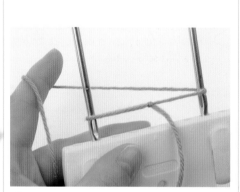

2 Spostate con delicatezza il nodo fino a quando sarà al centro, tra le due sbarrette. Fate ripassare il filo attorno alla sbarretta di destra, tendendolo tra le dita come se steste eseguendo un lavoro a uncinetto classico.

L'uncinetto a forcella

3 Puntate l'uncinetto nell'asola sulla sbarretta sinistra, gettate il filo sull'uncinetto ed estraetelo attraverso la maglia.

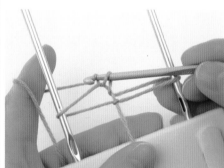

4 Gettate di nuovo il filo sull'uncinetto ed estraetelo attraverso la maglia sull'uncinetto per fissare il filo.

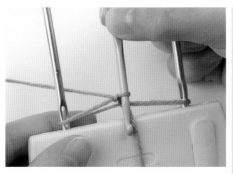

5 Tenendo l'uncinetto in posizione verticale, ruotate la forcella in senso orario di 180° per fare un mezzo giro. Ora il filo è avvolto sulla sbarretta destra e verso di voi è rivolto l'altro lato del fermaglio.

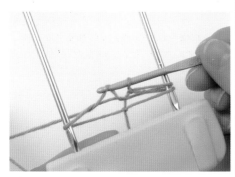

6 Puntate l'uncinetto sotto l'asola davanti sulla sbarretta sinistra, prendete il filo dietro alla forcella ed estraete una maglia in modo da avere due asole sull'uncinetto.

CONSIGLIO

Se vi risulta difficile mantenere il lavoro al centro delle sbarrette, provate ad assicurare, con un pezzo di nastro adesivo, il capo del filo al fermaglio, dopo aver centrato il nodo al passaggio 2.

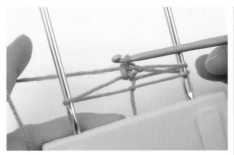

7 Gettate il filo sull'uncinetto ed estraete le due maglie sull'uncinetto per eseguire un punto basso.

8 Ripetete i passaggi 5, 6 e 7 fino a quando la forcella sarà tutta piena di lavoro, ricordandovi di girarla in senso orario ogni volta.

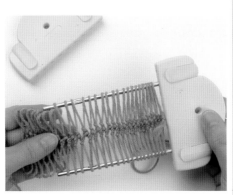

9 Una volta riempita la forcella, applicate il fermaglio superiore sulle sbarrette, togliete quello inferiore e fate scivolare il lavoro verso il basso, lasciando sulle sbarrette le ultime asole.

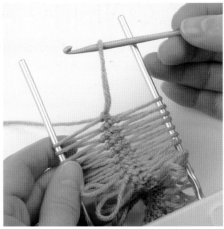

10 Applicate di nuovo il fermaglio inferiore, togliete quello in alto e continuate a lavorare la striscia come sopra. Quando la striscia ha raggiunto la lunghezza desiderata, estraete il filo attraverso l'ultima maglia con l'uncinetto e fatela scivolare via dalle sbarrette.

11 Per eseguire una bordura, fate un'asola iniziale sull'uncinetto, puntate quest'ultimo nella prima asola su uno dei bordi e lavorate un punto basso. Lasciando le asole girate così come quando vengono tolte dalle sbarrette, lavorate una maglia bassa in ogni asola del bordo, quindi fissate il filo. Ripetete per il secondo bordo.

I CORDONI

I cordoni a uncinetto si possono realizzare in svariati modi. Ne esistono di piatti o tubolari, stretti o molto larghi. Vengono utilizzati come manici e tracolle di borsette ma anche per ottenere uno scollo o il davanti di un capo di abbigliamento. Tanti pezzetti di un cordone stretto si possono cucire su un lavoro a uncinetto semplice per decorarlo con spirali, strisce o volute.

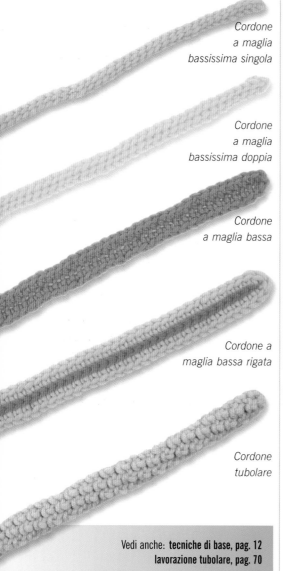

Cordone a maglia bassissima singola

Cordone a maglia bassissima doppia

Cordone a maglia bassa

Cordone a maglia bassa rigata

Cordone tubolare

Vedi anche: **tecniche di base, pag. 12**
lavorazione tubolare, pag. 70

Per realizzare un cordone a uncinetto, sarà necessario avviare una catenella di base più lunga del pezzo che si intende ottenere, poiché essa si contrarrà a mano a mano che lavorerete. Avviate parecchi centimetri di catenella in più di quelli che ritenete necessari. Questi sono i metodi più rapidi e semplici per ottenere dei cordoni stretti ma consistenti, ottimi per realizzare lacci e da usare come ornamenti. Il cordone a maglia bassissima doppia è più ampio di quello a maglia bassissima singola.

ESEGUIRE UN CORDONE A MAGLIA BASSISSIMA SINGOLA

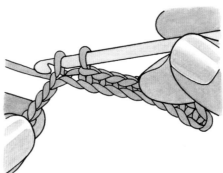

Lavorate una catenella di base della lunghezza desiderata. Prendete un uncinetto più piccolo, puntatelo nella seconda catenella partendo dall'uncinetto e lavorate una riga di maglie bassissime lungo la parte superiore della catenella. Potete dare un effetto diverso lavorando la riga di maglia bassissima nelle asole in basso della catenella piuttosto che in quelle in alto.

ESEGUIRE UN CORDONE A MAGLIA BASSISSIMA DOPPIA

Lavorate una catenella di base della lunghezza desiderata. Prendete un uncinetto più piccolo, puntatelo nella seconda catenella a partire dall'uncinetto e lavorate una riga di maglia bassissima lungo ogni lato della catenella, voltando con una catenella alla fine del primo lato.

CONSIGLIO

Per realizzare dei cordoni a maglia bassissima, potrebbe essere necessario usare degli uncinetti molto più piccoli. Cercate di ottenere un cordone piuttosto rigido, non lento e floscio.

ESEGUIRE UN CORDONE A MAGLIA BASSA

Con questo metodo si ottiene un cordone piatto ma più largo dei due precedenti. Potete eseguirlo a tinta unita o aggiungere una riga di un colore contrastante proprio al centro per renderlo più interessante.

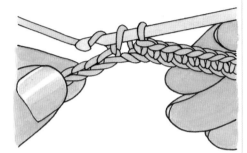

1 Avviate una catenella di base della lunghezza desiderata. Prendete un uncinetto più piccolo, puntatelo nella seconda catenella partendo dall'uncinetto e lavorate una riga di punti bassi lungo un lato della catenella.

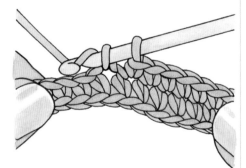

2 Alla fine del primo lato, lavorate una catenella, voltate e proseguite lungo il secondo lato allo stesso modo.

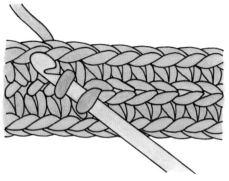

3 Con un filo di un colore contrastante, lavorate una riga di maglie bassissime al centro del cordone. Può risultare necessario l'utilizzo di un uncinetto più grande per l'altro colore per impedire che i punti facciano contrarre il cordone.

ESEGUIRE UN CORDONE TUBOLARE

A differenza degli altri cordoni a uncinetto, questo viene lavorato in tondo, in una spirale continua di maglia bassa, fino a raggiungere la lunghezza desiderata. Si ottiene così un cordone grosso, adatto per manici e tracolle di borsette.

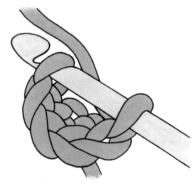

1 Avviate 5 catenelle e unitele in un anello con una maglia bassissima. Lavorate 1 catenella ed eseguite una maglia bassa nell'asola superiore della catenella successiva.

2 Eseguite 1 maglia bassa nell'asola superiore di ogni catenella, quindi continuate a lavorare in tondo, realizzando 1 maglia bassa nell'asola superiore di ogni punto. Procedendo con il lavoro, inizerà ad apparire il cordone e ad attorcigliarsi leggermente in una spirale.

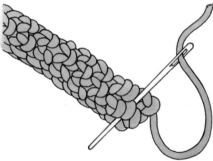

3 Quando il cordone ha raggiunto la lunghezza desiderata, affrancate il filo. Infilatene il capo in un ago da lana, prendete l'asola superiore di ogni maglia con l'ago e chiudete l'estremità della spirale. Per finire, fissate il capo del filo. Chiudete l'estremità iniziale della spirale allo stesso modo.

I DECORI

I decori a spirale e a fiore sono di grande effetto, veloci da realizzare e possono dare quel tocco personale in più a qualsiasi articolo per la casa o capo di abbigliamento.

Usate una spirale a uncinetto per rifinire un portachiavi o una chiusura lampo. Potete realizzare un gruppo di più decori per ornare gli angoli di un copridivano a uncinetto come alternativa originale a una nappa. Decorate gli indumenti e gli accessori con singoli fiorellini oppure lavoratene molti usando filati e colori diversi per poi disporli vicini tra loro.

ESEGUIRE UNA SPIRALE SEMPLICE

1 Avviate una catenella di base lenta di 30 maglie. Prendete un uncinetto più piccolo e lavorate due punti alti nella quarta catenella dall'uncinetto. Proseguite lungo la catenella eseguendo quattro punti alti in ogni catenella.

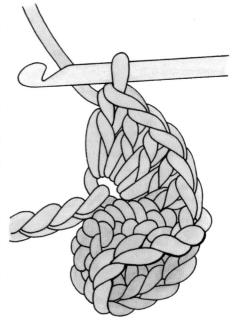

2 Mentre lavorate, il pezzo inizierà ad attorcigliarsi spontaneamente in una spirale. Fissate il filo alla fine della riga, lasciando un capo di circa 30 cm per attaccare la spirale.

Spirale semplice

Spirale rigata

Vedi anche:
tecniche di base, pag. 12

CONSIGL

Sperimentate combinazioni di filati diversi. Provate a eseguire una spirale rigata con un filato liscio e la bordura con una riga di soffice filato mohair o angora.

ESEGUIRE UNA SPIRALE RIGATA

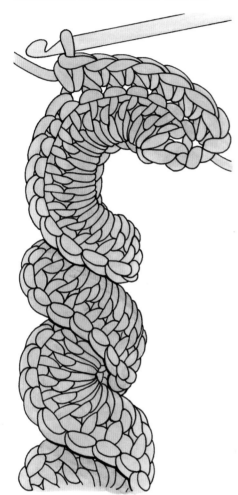

Con un filo di un solo colore, realizzate una spirale semplice come sopra, lasciando un capo lungo per attaccarla una volta ultimata. Aggiungete un filo di un colore contrastante al bordo più esterno della parte superiore della spirale e lavorate una riga di maglie basse lungo il bordo. Affrancate i capi del filo dell'altro colore.

ESEGUIRE UN FIORE ARRICCIATO

1 Realizzate la base del primo petalo lavorando i punti necessari nell'anello, quindi voltate il lavoro in modo da avere il rovescio rivolto verso di voi.

2 Eseguite la sezione restante del petalo nella base, fate tre catenelle e voltate il lavoro in modo che il dritto sia di nuovo rivolto verso di voi.

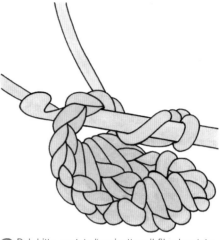

3 Dal dritto, portate l'uncinetto e il filo che state usando dietro al petalo appena realizzato, quindi lavorate il primo punto del nuovo petalo nell'anello. In questo modo esso si richiuderà assumendo una forma tridimensionale. Proseguite nell'esecuzione del giro come spiegato nello schema.

Fiore arricciato

ESEGUIRE UN FIORE A PIZZO D'IRLANDA

1 Eseguite il primo giro nell'anello, realizzando otto raggi centrali per creare il centro del fiore.

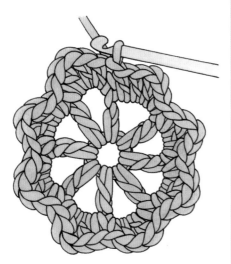

2 Lavorate il primo giro di petali negli spazi di catenella tra i raggi. Alla fine di questo giro, tagliate il filo e fissate bene il capo del primo colore sul rovescio.

3 Fate un'asola iniziale sull'uncinetto con il secondo colore e lavorando sul rovescio del fiore, puntate l'uncinetto sotto uno dei raggi centrali e una maglia bassissima per unire. Proseguite con il giro successivo nel secondo colore come spiegato nello schema.

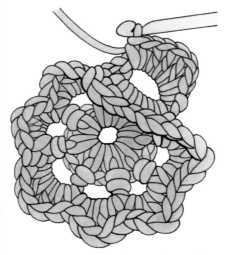

4 Lavorate l'ultimo giro di petali dal dritto del fiore, ripiegando i petali eseguiti sul secondo giro per non ostacolare il passaggio dell'uncinetto.

Fiore a pizzo d'Irlanda

CONSIGL

La combinazione di fili testurizzati e metallizzati permette di ottenere fiori davvero insoliti.

RACCOLTA DI PUNTI

LEGENDA DEI PUNTI

Riga di base	**FR**
Catenella	o
Maglia bassissima	·
Maglia bassa	+
Mezza maglia alta	⊤
Maglia alta	⨏
Maglia alta attorno al raggio	
Direzione del lavoro	↻
Fissare il filo	◀
Unire un nuovo colore	◁
3 catenelle alla fine del petalo si uniscono al primo punto del petalo successivo	

FIORE ARRICCIATO

Graziosissimi petali arricciati danno vita a questo fiore a un giro. Ognuno di essi viene completato e ripiegato per dare l'effetto arricciato. Per un effetto originale, lavorate il fiore con un filato tinto a mano piuttosto che con uno di colore uniforme.

Anello di base: 6 cat. unite con 1 m.bss. ad anello.

1° Giro: 3 cat. (equivalenti a 1 m.a.), 3 m.a. nell'anello, 3 cat., volt.; 1 m.a. nella prima m.a., 1 m.a. nelle 2 m.a. succ., 1 m.a. nella 3ª delle 3 cat. (petalo completato), 3 cat., volt.; * lavorando sul dietro del petalo appena fatto, eseguite 4 m.a. nell'anello, 3 cat., volt.; 1 m.a. nella prima m.a., 1 m.a. nelle 3 m.a. succ. (petalo completato), 3 cat., volt.; rip. da * 6 volte, unite ad anello con 1 m.bss. nella 3ª delle 3 cat. iniz. del primo petalo.

Affrancate il filo.

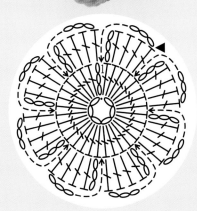

FIORE A PIZZO D'IRLANDA

Lavorato in due colori, A e B, questo fiore è ancora più grazioso se vengono usati filati diversi (provate a combinarne uno metallizzato con uno mohair). Il giro di petali più piccolo viene eseguito dietro a quello precedente per dare un effetto tridimensionale.

Anello di base: usando il filo A, 6 cat. unite con 1 m.bss. in un anello.

1° Giro: 5 cat. (equivalenti a 1 m.a., 2 cat.), [1 m.a. nell'anello, 2 cat.] 7 volte, unite con 1 m.bss. nella 3ª delle 5 cat.

2° Giro: 1 m.bss. nei 2 sp. di cat. succ., 1 cat., [1 m.b., 1 m.m.a., 1 m.a., 1 m.m.a., 1 m.b.] nello stesso sp. (petalo completato), [1 m.b., 1 m.m.a., 1 m.a., 1 m.m.a., 1 m.b.] in tutti gli sp. di cat. rest., unite con 1 m.bss. nella prima m.b. Tagliate il filo A. sul RL, unite il filo B a uno dei raggi centrali.

3° Giro: usando il filo B e lavorando sul RL, 6 cat. (equivalenti a 1 m.a., 3 cat.), [1 m.a. attorno al raggio succ., 3 cat.] 7 volte, unite con 1 m.bss. nella 3ª delle 6 cat.

4° Giro: 1 cat., voltate il fiore sul DL, lavorando dietro i petali del 2° giro, [1 m.b., 1 cat., 3 m.a., 1 cat., 1 m.b.] Nei 3 sp. di cat. succ. (petalo completato), [1 m.b., 1 cat., 3 m.a., 1 cat., 1 m.b.] in tutti i 3 sp. di cat. rest., unite con 1 m.bss. alla prima m.b.

Affrancate il filo.

BORDI DI RIFINITURA

Le finiture a uncinetto secondo il metodo con cui vengono lavorate si distinguono in bordi veri
e propri, se si eseguono direttamente sul lavoro ultimato, e in festoni o bordure se sono
lavorati a parte e poi attaccati al capo.

La finitura classica è costituita da una riga di
maglie basse che spesso viene lavorata come
base prima di realizzare un bordo più
ornamentale. La bordura a punto gambero
dà un risultato resistente e intricato, quella a
conchiglia aggiunge un tocco grazioso e
femminile ai capi di abbigliamento, mentre
quella a pippiolini produce un bordo
delicatamente dentellato.

ESEGUIRE UN BORDO A PUNTO GAMBERO

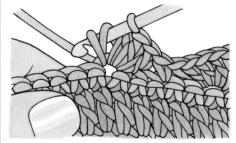

1 A differenza di quasi tutte le altre tecniche a
uncinetto, questo punto viene eseguito da
sinistra verso destra lungo la riga. Tenendo il
filo dietro al lavoro, inserite l'uncinetto dal
davanti verso il dietro, nel punto successivo.

ESEGUIRE UN BORDO A CONCHIGLIE

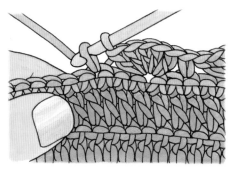

1 Avviate una riga di base a maglia bassa, con
un multiplo di 6 punti più 1, 1 catenella e
voltate. Procedendo da destra verso sinistra
lungo la riga, eseguite una maglia bassa nel
primo punto, * saltate due punti e lavorate 5
maglie alte in quello successivo per ottenere
una conchiglia.

ESEGUIRE UN BORDO A MAGLIA BASSA

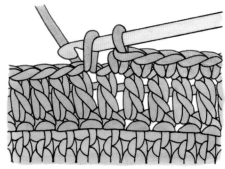

Lavorando da destra verso sinistra lungo la riga,
eseguite delle maglie basse tradizionali equidistanti
in tutto il bordo del tessuto a uncinetto.

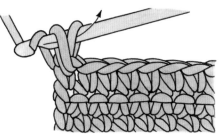

2 Gettate il filo sull'uncinetto ed estraete la
maglia dal dietro verso il davanti così da avere
due asole sull'uncinetto. Gettate il filo
sull'uncinetto, quindi estraete il filo attraverso
le due maglie per chiudere il punto.

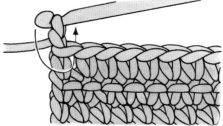

2 Saltate due punti, eseguite una maglia alta nel
punto successivo. Ripetete da * lungo il
bordo.

Vedi anche: tecniche di base, pag. 12
profili, festoni e frange, pag. 106

ESEGUIRE UN BORDO A PIPPIOLINI

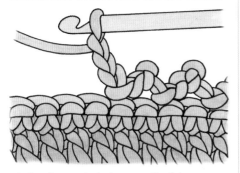 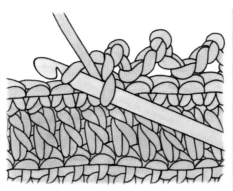

1 Con il rovescio rivolto verso di voi, lavorate una riga costituita da un numero pari di maglie basse lungo il bordo e voltate. Iniziate a eseguire un pippiolino, * 3 catenelle.

2 Puntate l'uncinetto dietro alla prima delle 3 catenelle appena fatte e lavorateci una maglia bassissima.

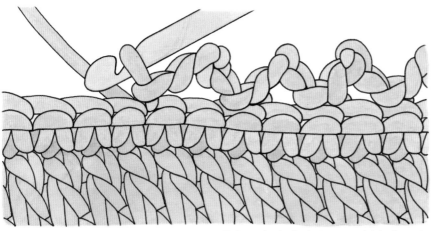 

3 Procedendo da destra verso sinistra lungo la riga, saltate un punto lungo il bordo a maglia bassa ed eseguite una maglia bassissima nella maglia bassa successiva. Ripetete da * lungo il bordo.

Bordo a maglia bassa

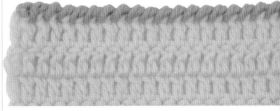

Bordo a punto gambero

Bordo a conchiglie

Bordo a pippiolini

OCCHIELLI E ASOLE

Per le strisce con i bottoni, le asole e gli occhielli è meglio scegliere la maglia bassa per la sua resistenza e compattezza. Le asole costituiscono un'alternativa decorativa all'occhiello tradizionale, soprattutto in presenza di capi traforati.

Eseguite prima di tutto la striscia con i bottoni, segnate la posizione di questi ultimi con delle spille di sicurezza e lavorate la striscia con gli occhielli (o le asole) in modo che questi corrispondano alle spille sul lato opposto.

ESEGUIRE GLI OCCHIELLI

Per iniziare una striscia con gli occhielli, eseguite una riga di maglie basse equidistanti lungo il bordo dell'indumento, tenendo il dritto del capo rivolto verso di voi. Realizzate altre righe di maglia bassa fino a quando la striscia avrà raggiunto la larghezza desiderata per poter posizionare gli occhielli, all'incirca a metà della larghezza totale della striscia con i bottoni, finendo con una riga a rovescio.

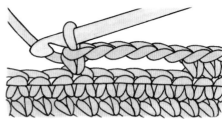

2 Fissate la catenella eseguendo una maglia bassa dopo quelle saltate. Continuate in questo modo lungo la striscia fino a quando avrete eseguito tutti gli occhielli.

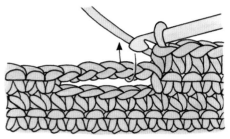

3 Sulla riga di ritorno (rovescio), lavorate nell'arco di catenelle tante maglie basse quanto il numero di catenelle.

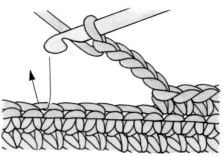

1 Eseguite le maglie basse fino alla posizione degli occhielli, saltate qualche punto in base alla grandezza del bottone e lavorate lo stesso numero di catenelle sopra i punti saltati.

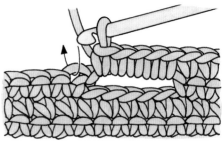

4 Lavorate altre righe a maglia bassa fino a quando la striscia con gli occhielli avrà assunto la stessa larghezza di quella con i bottoni.

Vedi anche: **tecniche di base, pag. 12**

ESEGUIRE LE ASOLE

Per iniziare una striscia con le asole, eseguite una riga di maglie basse equidistanti lungo il bordo dell'indumento, tenendo il dritto del capo rivolto verso di voi. Realizzate altre righe di maglia bassa fino a quando la striscia avrà raggiunto la larghezza desiderata, finendo con una riga a rovescio. In genere, le strisce con le asole sono più strette di quelle con gli occhielli.

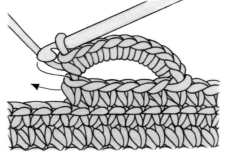

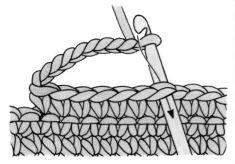

1 Eseguite le maglie basse fino alla posizione delle asole, quindi lavorate molti altri punti. Eseguite un'asola di catenelle in base alla grandezza del bottone e giratela verso destra. Fate scivolare l'uncinetto fuori dalla catenella e inseritelo di nuovo nel lavoro, nel punto in cui volete che l'asola termini.

2 Puntate l'uncinetto nell'ultima catenella, gettate il filo sull'uncinetto e unite l'asola alla striscia con una maglia bassissima.

3 Per completare l'asola, eseguite al suo interno una serie di punti bassi fino a coprire totalmente la catenella.

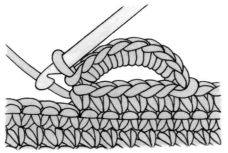

4 Inserite l'uncinetto nell'ultima maglia bassa lavorata prima di realizzare la catenella ed eseguite una maglia bassissima. Continuate lungo la riga a maglia bassa fino a quando avrete realizzato tutte le asole.

CONSIGLIO

Non scordatevi di distanziare a intervalli regolari tutti i bottoni sulla relativa striscia, quindi segnate la posizione delle asole o degli occhielli corrispondenti sulla striscia opposta.

PROFILI, FESTONI E FRANGE

I profili, i bordi e le frange sono strisce all'uncinetto che si possono cucire ad altri pezzi lavorati con questa tecnica o tessuti di altro genere, per abbellirne i contorni.

PROFILI

I profili sono stretti e presentano generalmente entrambi i margini sagomati piuttosto che dritti. Alcuni di essi, come quello bicolore sottostante, si possono eseguire con più di un filo colorato. Quando vengono realizzati con del cotone fine, misto cotone o fili metallizzati, usando un uncinetto piccolo, l'effetto è simile a quello dei profili usati per decorare oggetti di arredamento per la casa come paralumi, federe, scatole e cestini rivestiti di tessuto. Cucite a mano un profilo a un tessuto usando dei punti minuscoli proprio al centro oppure lungo i margini con un filo da cucito di un colore coordinato. Se la colla è compatibile con la fibra di cui è composto il filato, potete usare un'apposita pistola per attaccare il profilo a una scatola o a un cestino.

ESEGUIRE I PROFILI

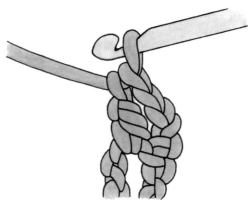

1 Molti profili vengono eseguiti nel senso della larghezza su un ridotto numero di punti. Continuate a voltare il profilo e a ripetere la riga dello schema fino a raggiungere la lunghezza desiderata, quindi affrancate il filo.

2 I profili fantasia, lavorati con due o più colori, in genere presentano la base di un solo colore e i bordi di un colore contrastante. Eseguite la prima riga del bordo in cima alla base, lungo il lato opposto della catenella di base.

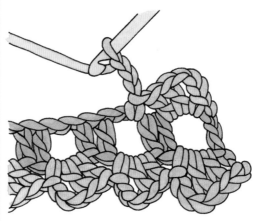

3 Tagliate il filo di colore contrastante e giuntatelo sull'altro lato della base, quindi lavorate questo lato in armonia con quello già realizzato.

RACCOLTA DI
PUNTI

LEGENDA DEI PUNTI

Riga di base	F R
Catenella	◯
Maglia bassissima	•
Maglia bassa	+
Maglia alta	⊤
Affrancare il filo	◀
Aggiungere un nuovo colore	◁

PROFILO INTRECCIATO (LAVORATO NEL SENSO DELLA LARGHEZZA)

Anello di base: 7 cat. unite con 1 m.bss. per formare un anello.

Riga di base: 3 cat., 3 m.a. nell'anello, 3 cat., 1 m.b. nell'anello, volt.

1ª Riga: 3 cat., 3 m.a. nei 3 sp. di cat., 3 cat., 1 m.b. negli stessi 3 sp. di cat., volt.

Rip. la 1ª riga per la lunghezza necessaria.

PROFILO BICOLORE (LAVORATO NEL SENSO DELLA LUNGHEZZA)

Note: questo profilo è stato lavorato in due colori, colore A e colore B.

Catenella di base: con il colore A, avviate un numero multiplo di 3 catenelle.

Riga di base: 1 m.a. nella 6ª cat. dall'uncinetto, 1 m.a. nella cat. succ., * 1 cat., salt. la cat. succ., 1 m.a. nelle 2 cat. succ.; rip. da * finendo l'ultima rip. con 1 cat., salt. la cat. succ., 1 m.a. nell'ultima cat. Tagliate il colore A. Unite il colore B nella penultima cat. della cat. iniz. saltata.

2ª Riga: 1 cat., 1 m.b. nel primo sp. di cat., 3 cat., 2 m.a. nello stesso sp. di cat., * [1 m.b., 3 cat., 1 m.b.] nello sp. di 1 cat. succ.; rip. da * finendo l'ultima rip. con 1 m.b. nell'ultima m.a. Tagliate il coloe B. Giuntate il filo B al lato opposto del profilo con 1 m.bss. nella cat. di base sotto alla prima m.a.

3ª Riga: 1 cat., 1 m.b. nel primo sp. di cat., 3 cat., 2 m.a. nello stesso sp. di cat., * [1 m.b., 3 cat., 1 m.b.] nello sp. di 1 cat. succ.; rip. da * finendo l'ultima rip. con 1 m.b. nella 2ª cat. dell'ultimo sp. di cat.

Affrancate il filo.

FESTONI

Generalmente, i festoni presentano un lato dritto e uno sagomato e quelli più larghi vengono definiti anche bordure. I festoni possono essere costituiti da brevi righe nel senso della larghezza o da lunghe righe nel senso della lunghezza. Quando i festoni sono costituiti da righe lunghe, è opportuno avviare una catenella più lunga del necessario per poi disfare la parte in eccesso una volta ultimato il lavoro.

USARE UNA CATENELLA DI BASE APPROSSIMATIVA

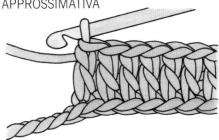

1 Avviate la catenella di base e lavorate il numero necessario di ripetizioni dello schema del bordo. Dopodiché voltate e proseguite nello schema lasciando le catenelle in più.

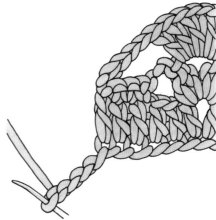

2 Una volta ultimata la bordura, tagliate via l'asola iniziale alla fine delle catenelle incomplete. Disfate con cura le catenelle fino a raggiungere il margine del lavoro, quindi fissate il capo del filo sul rovescio.

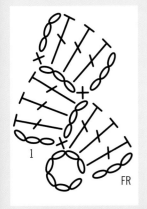

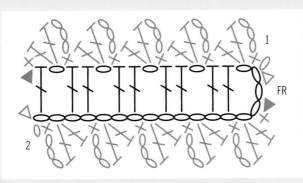

Profilo intrecciato

Profilo bicolore

RACCOLTA DI PUNTI

BORDO A CONCHIGLIE (LAVORATO NEL SENSO DELLA LUNGHEZZA)

Catenella di base: avviate un multiplo di 10 catenelle più 3.

Riga di base: (DL) 1 m.a. nella 4ª cat. dall'uncinetto, 1 m.a. in tutte le cat. fino alla fine.

1ª Riga: 1 cat., 1 m.b. nelle prime 3 m.a., * 2 cat., salt. 2 m.a. succ., [2 m.a., 2 cat.] due volte nella m.a. succ., salt. 2 m.a. succ., 1 m.b. nelle 5 m.a. succ.; rip. da * fino alla fine tralasciando 2 m.b. alla fine dell'ultima rip. lavorando l'ultima m.b. in cima alle 3 cat. iniz. saltate, volt.

2ª Riga: 3 cat., 1 m.b. nelle prime 2 m.b., * 3 cat., salt. lo sp. di 2 cat. succ., [3 m.a., 2 cat., 3 m.a.] nello sp. di 2 cat. succ., 3 cat., salt. m.b. succ., 1 m.b. nelle 3 m.b. succ.; rip. da * fino alla fine tralasciando 1 m.b. alla fine dell'ultima rip.

Affrancate il filo.

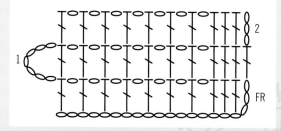

BORDO LARGO A RETE (LAVORATO NEL SENSO DELLA LARGHEZZA)

Catenella di base: avviate 20 cat.

Riga di base: (DL) 1 m.a. nella 4ª cat. dall'uncinetto, 1 m.a. nelle 2 cat. succ., * 1 cat., salt. cat. succ., 1 m.a. nella cat. succ.; rip. da * fino alla fine, volt.

1ª Riga: 7 cat., 1 m.a. nella prima m.a., [1 cat., 1 m.a. nella m.a. succ.] 7 volte, 1 m.a. nelle 2 m.a. succ., 1 m.a. in cima alle 3 cat. iniz. saltate, volt.

2ª Riga: 3 cat. (equivalenti a 1 m.a.), 1 m.a. nelle 3 m.a. succ., * 1 cat., 1 m.a. nella m.a. succ.; rip. da * fino alla fine, volt.

3ª Riga 3: 7 cat., 1 m.a. nella prima m.a., [1 cat., 1 m.a. nella m.a. succ.] 7 volte, 1 m.a. nelle 2 m.a. succ., 1 m.a. in cima alle 3ª delle 3 cat., volt.

Rip. la 2ª e la 3ª riga per la lunghezza desiderata, finendo con una 3ª riga.

LEGENDA DEI PUNTI

Riga di base	**FR**	
Catenella	○	
Maglia bassa	+	
Maglia alta	┼	

FRANGE

Come variante alla frangia classica presente sulle sciarpe, provate a realizzare una di queste all'uncinetto. La "frangia a catenelle" è costituita dalle asole di una catenella a uncinetto mentre la "frangia a cavatappi" è composta da strisce di maglia bassa lavorate in modo che si arriccino su loro stesse.

ESEGUIRE UNA FRANGIA A CATENELLE ALL'UNCINETTO

Sulla riga della frangia, eseguite 15 catenelle e unite l'estremità della catenella con una maglia bassissima nello stesso punto in cui è stata realizzata la maglia bassa precedente.

ESEGUIRE UNA FRANGIA A CAVATAPPI

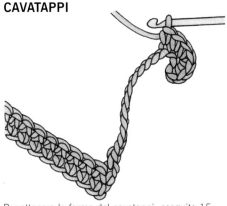

Per ottenere la forma del cavatappi, eseguite 15 catenelle e voltate. Lavorate due maglie basse nella seconda catenella dall'uncinetto e in tutte le restanti maglie.

RACCOLTA DI PUNTI

FRANGIA A CATENELLE (LAVORATA NEL SENSO DELLA LUNGHEZZA)

Catenella di base: avviate una catenella di base della lunghezza necessaria.

1ª Riga: 1 m.b. nella 2ª cat. dall'uncinetto, 1 m.b. in tutte le cat. fino alla fine, volt.

2ª Riga: 1 cat., 1 m.b. in tutte le m.b. fino alla fine, volt.

3ª Riga: 1 cat., 1 m.b. nella prima m.b., * 1 m.b. nella m.b. succ., 15 cat., 1 m.bss. nello stesso punto in cui è appena stata eseguita la m.b.; rip. da * fino alla fine.

Affrancate il filo.

FRANGIA A CAVATAPPI (LAVORATA NEL SENSO DELLA LUNGHEZZA)

Catenella di base: avviate una catenella di base della lunghezza necessaria.

1ª Riga: 1 m.b. nella 2ª cat. dall'uncinetto, 1 m.b. in tutte le cat. fino alla fine, volt.

2ª Riga: 1 cat., 1 m.b. in tutte le m.b. fino alla fine, volt.

3ª Riga: 1 cat., 1 m.b. nella prima m.b., * 1 m.b. nella m.b. succ., 15 cat., volt.; lavorate di nuovo lungo la catenella, salt. la prima cat., 2 m.b. in tutte le cat. rest., 1 m.bss. nello stesso punto della m.b. prima delle 15 cat.; rip. da * fino alla fine.

Affrancate il filo.

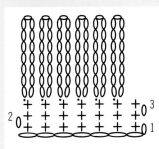

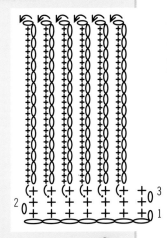

LEGENDA DEI PUNTI

Catenella	⊂
Maglia bassa	+
Maglia bassissima	.
Maglia bassissima nella m.b. sotto	(
Voltare e lavorare di nuovo lungo la catenella	↰

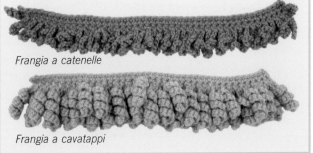

Frangia a catenelle

Frangia a cavatappi

UNCINETTO TESSUTO A CATENELLA

Su un fondo a rete o a maglia bassa si può ricamare con una catenella e ricreare disegni e tessuti scozzesi.

Scegliete un filato in un colore uniforme per realizzare lo sfondo a rete, poi potete aggiungere righe di colori e trame contrastanti usando questa semplice ma efficace tecnica.

I ricami sull'uncinetto si possono eseguire con filati dalle texture contrastanti.

Provate a combinare i filati metallizzati con quelli uniformi.

Vedi anche: **la rete semplice e i punti pizzo, pag. 50**

ESEGUIRE UN RICAMO SULL'UNCINETTO

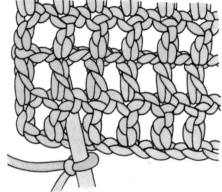

1 Preparate uno sfondo a rete. Eseguite un'asola iniziale nel filo di colore contrastante e fatela scivolare sull'uncinetto. Puntate l'uncinetto nella rete attraverso un foro posto lungo il margine inferiore della stessa.

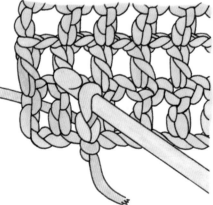

2 Tenendo il filo di colore contrastante sotto la rete, estraete un'asola di filo attraverso la rete e l'asola sull'uncinetto per eseguire una catenella. Proseguite in questo modo, lavorando sulla rete.

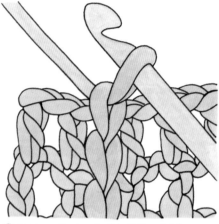

3 In cima alla riga, tagliate il filo e fatelo passare attraverso l'ultimo punto per fissarlo.

CONSIGLIO

Per questa tecnica potete usare sia i due sfondi a rete mostrati qui, sia altri punti a uncinetto, compresa la maglia bassa e quella alta, ma ricordatevi di non fare i punti dello sfondo troppo fitti.

RACCOLTA DI PUNTI

LEGENDA DEI PUNTI

Riga di base **F R**

Catenella ⟋

Maglia bassa **+**

Maglia alta

MOTIVO SULLA RETE

Per realizzare lo sfondo a rete, tornate a pagina 50 ed eseguite un pezzo seguendo le spiegazioni per il "motivo a rete semplice". Lavorate delle righe verticali a catenella per ottenere strisce uniformi attraverso lo sfondo. Questa rete presenta dei fori piuttosto larghi, quindi è opportuno usare un filato più grosso per il ricamo in superficie di quello usato per lo sfondo.

RETICELLA PICCOLA

Questo tessuto di fondo ha dei fori molto più piccoli di quelli della rete illustrata a sinistra. Su questo tessuto, potete eseguire a righe il ricamo a uncinetto, ma le reti più piccole vi permettono anche di sperimentare ed eseguire svariati motivi fantasiosi come quello che vi proponiamo.

Catenella di base: avviate un multiplo di 2 catenelle.

Riga di base: (DL) 1 m.b. nella 2ª cat. dall'uncinetto, * 1 cat., salt. cat. succ., 1 m.b. nella cat. succ.; rip. da * fino alla fine, volt.

1ª Riga: 1 cat., 1 m.b. nella prima m.b., * 1 cat., 1 m.b. nella m.b. succ.; rip. da * fino alla fine, volt.

Rip. la 1ª riga per la lunghezza necessaria.

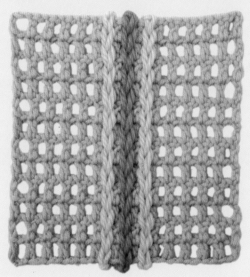

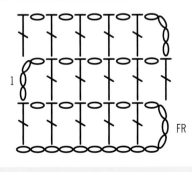

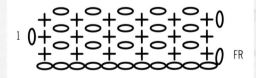

APPLICARE LE PERLINE

Le perline si possono applicare sul tessuto a uncinetto mentre si eseguono i punti. Risaltano in particolar modo su uno sfondo a maglia bassa e donano al lavoro un tocco di colore e di vivacità in più.

Prima di iniziare il lavoro a uncinetto, infilate tutte le perline sul vostro gomitolo di filo. Se state usando più gomitoli per realizzare un capo d'abbigliamento, le spiegazioni vi indicheranno quante perline infilare in ognuno di essi. Quando scegliete le perline, controllate che le dimensioni del foro siano adatte alla grossezza del vostro filo; per le perline piccole preferite i fili fini, per quelle grandi i fili grossi. Quando lavorate con delle perline in più colori, disposte secondo un determinato schema, non dimenticate di infilarle nell'ordine inverso per ottenere il disegno corretto mentre ricamate. Le perline vengono applicate sulle righe dal rovescio.

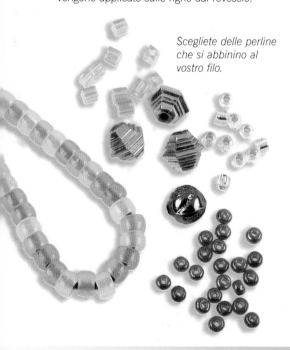

Scegliete delle perline che si abbinino al vostro filo.

Vedi anche: **applicare le paillette, pag. 114**

MAGLIA BASSA CON PERLINE

1 Lavorate fino a raggiungere la posizione della prima perlina su una riga del rovescio. Fate scivolare la perlina sul filo fino a quando si appoggerà agevolmente sul dritto del vostro lavoro.

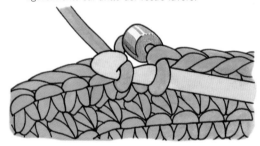

2 Tenendo la perlina nella posizione corretta, inserite l'uncinetto nel punto successivo ed estraete una maglia in modo da avere due asole su di esso.

3 Gettate di nuovo il filo sull'uncinetto ed estraetelo per chiudere il punto. Continuate ad aggiungere le perline allo stesso modo lungo la riga, seguendo le spiegazioni dello schema.

RACCOLTA DI
PUNTI

LEGENDA DEI PUNTI

Riga di base   **FR**

Catenella   **O**

Maglia bassa   **+**

Maglia bassa con perlina

PERLINE ALTERNATE

Le perline di un solo colore sono state disposte in modo alternato per creare questo elegante motivo. Usate delle perline opache come quelle mostrate qui, oppure scegliete le varianti metallizzate e luccicanti per donare maggior brillantezza.

Nota: P = eseguite una maglia bassa con perlina. Per questo punto vengono usate perline di un solo colore. Infilate tutte le perline sul filo prima di iniziare il lavoro.

Catenella di base: avviate un multiplo di 6 catenelle più 3.

Riga di base: (DL) 1 m.b. nella 2ª cat. dall'uncinetto, 1 m.b. in tutte le cat. fino alla fine, volt.

1ª e 2ª Riga: 1 cat., 1 m.b. in tutte le m.b. fino alla fine, volt.

3ª Riga: (riga di perline sul RL) 1 cat., 1 m.b. nelle 4 m.b. succ.; * P, 1 m.b. nelle 5 m.b. succ.; rip. da * fino alle ultime 5 m., P, 1 m.b. nelle 4 m.b. succ., volt.

4ª, 5ª e 6ª Riga: rip. la 1ª riga.

7ª Riga: (riga di perline sul RL) 1 cat., 1 m.b. nella prima m.b., * P, 1 m.b. nelle 5 m.b. succ.; rip. da * fino alle ultime 2 m., P, 1 m.b. nell'ultima m.b., volt.

8ª, 9ª e 10ª Riga: rip. la 1ª riga.

Rip. dalla 3ª alla 10ª riga per la lunghezza necessaria, finendo con una 5ª riga.

PERLINE SU OGNI RIGA

Le perline, applicate sul rovescio di ogni riga, producono un tessuto ricco adatto ad una borsetta da sera. Potete anche eseguire più righe di questo modello in una striscia stretta da applicare all'orlo di un maglione.

Nota: P = avviate un punto basso con perlina. Per questo punto vengono usate perline di più colori, applicate a caso sul filo. Infilate tutte le perline sul filo prima di iniziare il lavoro.

Catenella di base: avviate un multiplo di 4 catenelle più 3.

Riga di base: (DL) 1 m.b. nella 2ª cat. dall'uncinetto, 1 m.b. in tutte le cat. fino alla fine, volt.

1ª Riga: (riga di perline sul RL) 1 cat., 1 m.b. nelle 2 m.b. succ., * P, 1 m.b. nelle 3 m.b. succ.; rip. da * fino alle ultime 4 m.b., P, 1 m.b. nelle 3 m.b. succ., volt.

2ª Riga: 1 cat., 1 m.b. in tutte le m.b. fino alla fine, volt.

3ª e 4ª Riga: rip. la 1ª e la 2ª riga.

5ª Riga: (riga di perline sul RL) 1 cat., 1 m.b. nelle 5 m.b. succ., * P, 1 m.b. nelle 3 m.b. succ.; rip. da * fino alle ultime 6 m.b., P, 1 m.b. nelle 5 m.b. succ., volt.

6ª Riga: 1 cat., 1 m.b. in tutte le m.b. fino alla fine, volt.

7ª e 8ª Riga: rip. la 5ª e la 6ª riga.

Rip. dalla 1ª all'8ª riga per la lunghezza necessaria, finendo con una riga sul DL.

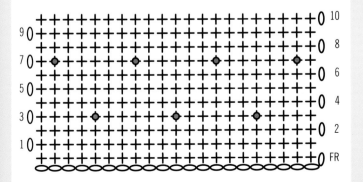

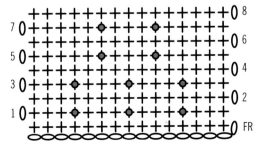

APPLICARE LE PAILLETTE

Potete applicare le paillette su uno sfondo a maglia bassa utilizzando un metodo simile a quello usato per le perline. Le paillette tonde sono le migliori da usare, nelle varianti piatte o concave. In genere le paillette vengono applicate sul filo allo stesso modo delle perline.

Quando utilizzate le paillette concave, fate attenzione a infilarle tutte con il lato convesso rivolto verso il gomitolo di filo. Una volta eseguito il ricamo, la parte concava deve guardare verso l'esterno per dare un effetto migliore e non danneggiare il tessuto a uncinetto.

Motivo a perline alternate (pag. 113) usando le paillette invece delle perline.

MAGLIA BASSA CON PAILLETTE

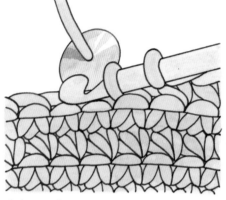

1 Lavorate fino a raggiungere la posizione della prima paillette su una riga del rovescio. Eseguite la prima fase per la maglia bassa, lasciando due asole sull'uncinetto. Fate scivolare la paillette sul filo fino a quando si appoggerà agevolmente sul dritto del vostro lavoro. Ricordate, se state usando quelle concave, che il lato convesso (il retro della paillette) deve poggiare sul tessuto.

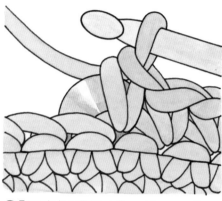

2 Tenendo la paillette nella posizione corretta, gettate il filo sull'uncinetto ed estraetelo per chiudere il punto. Continuate ad aggiungere le paillette allo stesso modo lungo la riga, seguendo le spiegazioni dello schema.

CONSIGLIO

Le paillette per la maglia presentano dei fori più larghi di quelle classiche e spesso vengono vendute infilate su un'asola di filo resistente. Per utilizzarle, tagliate l'asola, annodate un capo del filo sul vostro filo e fate scivolare delicatamente le paillette oltre il nodo sul vostro filo.

Vedi anche: **applicare le perline, pag. 112**

RACCOLTA DI PUNTI

STRISCE DI PAILLETTE

Spesso le paillette sono più efficaci se vengono utilizzate con parsimonia per mettere in risalto un disegno. Qui, le paillette piatte e tonde sono disposte in file verticali e si toccano l'una con l'altra. Potete usarne di colori contrastanti o abbinarle alla tonalità dello sfondo per un effetto più raffinato.

Nota: P = eseguite una maglia bassa con paillette. Per questo punto vengono usate paillette di un solo colore. Infilate tutte le paillette sul filo prima di iniziare il lavoro.

Catenella di base: avviate un multiplo di 6 catenelle più 3.

Riga di base: (DL) 1 m.b. nella 2ª cat. dall'uncinetto, 1 m.b. in tutte le cat. fino alla fine, volt.

1ª e 2ª Riga: 1 cat., 1 m.b. in tutte le m.b. fino alla fine, volt.

3ª Riga: (riga di paillette sul RL) 1 cat., 1 m.b. nelle 3 m.b. succ., * P, 1 m.b. nelle 5 m.b. succ.; rip. da * fino alle ultime 5 m., P, 1 m.b. nelle 4 m.b. succ., volt.

4ª Riga: 1 cat., 1 m.b. in tutte le m.b. fino alla fine, volt.

Rip. la 3ª e la 4ª riga per la lunghezza necessaria, finendo con una 4ª riga.

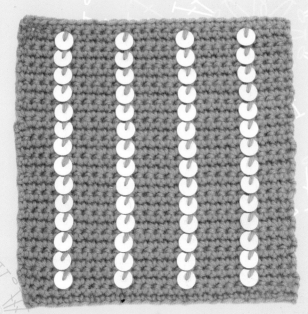

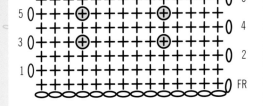

LEGENDA DEI PUNTI

Riga di base **FR**

Catenella ⬭

Maglia bassa **+**

Maglia bassa con paillette

Capitolo 3
LAVORI

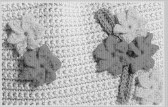

Questo capitolo comprende tanti lavori che vi permetteranno di mettere in pratica le abilità apprese nei due capitoli precedenti. Sia che intendiate realizzare un piccolo accessorio a uncinetto, come una bella sciarpa o una borsa con decori floreali, sia che vi sentiate pronte a osare con qualcosa di più complicato, troverete il lavoro che farà al caso vostro.

Lavoro 1 / SCIARPA INVERNALI

È il lavoro ideale per una principiante. Non c'è niente da modellare, il pezzo è abbastanza stretto, quindi i risultati si ottengono velocemente, e siete libere di scegliere tra i tanti punti illustrati nella "raccolta di punti" presente in tutto il libro. La sciarpa della fotografia è stata realizzata con il "pizzo a ventagli", vedi pag. 53, e un filato di pura lana.

OCCORRENTE

- 2 gomitoli di filato per maglieria ritorto a 2 capi (peso/mt al gomitolo: 50 g = 120 m) color rosa.
- uncinetti n. 4 e 4,5 o delle dimensioni opportune per raggiungere la tensione adatta.
- ago da lana.

TENSIONE

Dopo la messa in forma, una ripetizione completa dello schema misura 6 cm di larghezza e 3 cm di altezza.

DIMENSIONI DEL PEZZO FINITO

Dopo la messa in forma, la sciarpa misura 18 cm di larghezza e 117 cm di lunghezza circa.

ESECUZIONE

Lo schema di punti usato, il "pizzo a ventagli", presuppone un multiplo di 12 catenelle più 3. La sciarpa della fotografia è stata lavorata su una catenella di base di 39 maglie = (12 x 3) + 3.
Con l'uncinetto n. 4,5, avviate 39 catenelle. Passate all'uncinetto n. 4 e lavorate lo schema in modo regolare per 117 cm circa, finendo con una 4ª riga.

ULTIMARE LA SCIARPA

Affrancate i capi del filo. Mettete in forma la sciarpa (vedi pag. 26) e lasciatela asciugare.

PUNTI ALTERNATIVI

È necessario eseguire un certo numero di punti affinché lo schema risulti corretto. Se avete intenzione di usare un altro punto per realizzare la sciarpa, basta avviare la catenella di base lunga a sufficienza e lavorare una striscia della lunghezza richiesta.

MOTIVO A RETE SEMPLICE (VEDI PAG. 51)

Questa maglia è molto facile da realizzare e presenta una certa morbidezza. È necessario avviare un multiplo di 2 catenelle. Il campione è stato lavorato su 36 catenelle di base.

CONSIGLIO

Per realizzare una sciarpa, scegliete un filato morbido e che non pizzichi sulla pelle. Andrebbero benissimo la pura lana merino o un misto lana e fibra sintetica.

RETE CON VENTAGLI (VEDI PAG. 52)

Uno schema davvero grazioso, ottimo se eseguito con un filato screziato per realizzare una sciarpa. È necessario avviare un multiplo di 12 catenelle più 3. Il campione è stato lavorato su 39 catenelle di base, ossia lo stesso numero di catenelle usate per la sciarpa nella fotografia. Il campione tuttavia è più stretto della sciarpa a causa della diversa struttura della maglia.

PUNTO TRINITY (VEDI PAG. 39)

Questo motivo a grappolo dà un campione più fitto e compatto dei due precedenti e si otterrebbe una sciarpa molto più calda che con qualsiasi punto pizzo. È necessario eseguire un multiplo di 2 catenelle. Il campione è stato lavorato su 34 catenelle di base.

ONDE SINUOSE (VEDI PAG. 60)

Utilizzando uno qualsiasi dei motivi a spina di pesce presenti da pag. 58 a pag. 61, potrete confezionare una stupenda sciarpa, sia lavorandola in un solo colore sia realizzandola a righe con tanti filati dai colori tenui o contrastanti. Per le "onde sinuose" è necessario avviare un multiplo di 14 catenelle più 3. Il campione è stato lavorato su 45 catenelle di base.

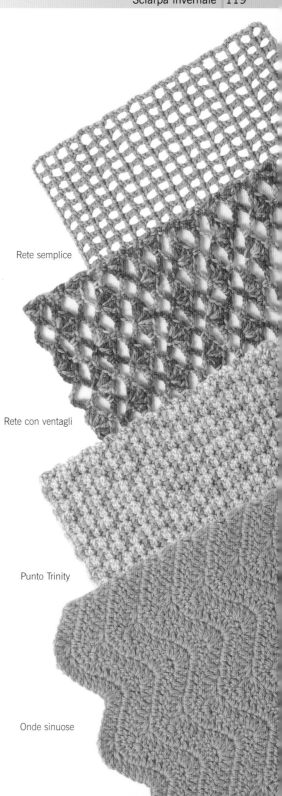

Rete semplice

Rete con ventagli

Punto Trinity

Onde sinuose

Lavoro 2 / COPERTINA

Ai neonati si regala sempre una copertina. Questo disegno è piuttosto piccolo ma potete ingrandirlo semplicemente aggiungendo altri moduli prima di passare alla realizzazione del bordo. In questo caso, ricordatevi che avrete bisogno di più filo di quello indicato sotto.

OCCORRENTE

- filato per maglieria ritorto a 2 capi (peso / mt al gomitolo: 120 m = 50 g) in 3 colori coordinati:1 gomitolo di verde acqua, 2 gomitoli ciascuno di bianco e di giallo.
- uncinetti n. 3,5 e 4 o delle dimensioni opportune per raggiungere la tensione necessaria.
- ago da lana.

La copertina è composta da moduli quadrati singoli cuciti insieme che rende possibile ingrandirla a piacere.

TENSIONE

Dopo la messa in forma, ogni modulo è un quadrato di 14 cm per lato.

DIMENSIONI DEL PEZZO FINITO

La copertina misura 48 cm di larghezza e 72 cm di lunghezza, incluso il bordo.

L'ESECUZIONE DEI MOTIVI

Seguendo lo schema per il "quadrato di croydon" a pag. 80 e con uncinetto n. 4, lavorate otto moduli (modulo A nella tabella) usando il bianco come colore A, il verde acqua come colore B e il giallo come colore C. Eseguite sette moduli (modulo B nella tabella) usando il giallo come colore A, il verde acqua come colore B e il bianco come colore C.

A	B	A	B	A
B	A	B	A	B
A	B	A	B	A

CONFEZIONARE LA COPERTINA

Affrancate tutti i capi del filo. Mettete in forma tutti i moduli (vedi pag. 26) e lasciateli asciugare. Disponeteli come indicato nella tabella e cuciteli insieme con un filo abbinato.

LAVORARE I BORDI

Con l'uncinetto n. 3,5, unite il filo giallo a una qualsiasi delle m.b. lungo il bordo della copertina.

1° Giro: 3 cat., 1 m.a. in ognuna delle m.b. attorno alla copertina, lavorando 5 m.a. nella maglia centrale del gruppo di 3 m.b. in ogni angolo, unite con 1 m.bss. nella 3ª delle 3 cat. Tagliate il filo giallo e unite quello bianco nello stesso punto.

2° Giro: 3 cat., 1 m.a. in tutte le m.a. del giro prec., lavorando 5 m.a. nel punto centrale del gruppo di 5 m.a. di ogni angolo, unite con 1 m.bss. nella 3ª delle 3 cat. Tagliate il filo bianco e unite quello verde acqua nello stesso punto.

3° Giro: 1 cat., 1 m.b. nello stesso punto, 1 m.b. nelle m.a. del giro prec., lavorando 3 m.b. nel punto centrale del gruppo di 5 m.a. di ogni angolo, unite con 1 m.bss. nella prima m.b. Affrancate il filo.

FASE FINALE

Per finire, pressate dolcemente i bordi dalla parte del rovescio con il ferro da stiro caldo oppure mettete di nuovo in forma la copertina.

Lavoro 3 / SCIALLE A UNCINETTO FILET

L'uncinetto filet permette di realizzare deliziosi accessori traforati. Lavorato a righe nel senso della larghezza, ogni estremità è decorata con un delizioso bordo, mentre la parte principale dello scialle a rete è punteggiata qua e là da minuscoli motivi a quadrifogli.

OCCORRENTE

- 8 gomitoli di filato per maglieria ritorto a 2 capi (peso/mt al gomitolo: 50 g = 120 m) color viola.
- uncinetti n. 4 e 4,5 o delle dimensioni opportune per raggiungere la tensione necessaria.
- ago da lana.

TENSIONE

Misurato nel senso della larghezza e della lunghezza sulla rete filet lavorata con l'uncinetto n. 4, 10 cm corrispondono a otto quadretti.

DIMENSIONI DEL PEZZO FINITO

Lo scialle misura all'incirca 58 cm di larghezza e 170 cm di lunghezza.

L'uncinetto filet produce un tessuto traforato perfetto per i capi da indossare la sera.

ESECUZIONE

Con l'uncinetto n. 4,5, avviate 146 catenelle.
Passate all'uncinetto n. 4, seguendo le
istruzioni per lavorare l'uncinetto filet a pag.
54, eseguendo due righe di spazi vuoti.
Iniziate a lavorare lo schema del bordo
seguendo il diagramma, ripetendo la
sequenza all'interno del rettangolo rosso per
altre sei volte. Procedete verso l'alto,
partendo dalla parte inferiore del diagramma,
iniziando dal margine destro e leggendo le
righe sul dritto (quelle con i numeri dispari)
da destra verso sinistra, e quelle sul rovescio
(con i numeri pari) da sinistra verso destra.
Al termine dello schema per il bordo,
lavorate la rete filet, eseguendo qua e là i
quadrifogli presenti sul secondo diagramma.
Quando il lavoro ha raggiunto la lunghezza
di 157,5 cm circa, terminando con una riga
RL, eseguite ancora una volta i punti
presenti sul diagramma per il bordo.
Concludete lavorando due righe di spazi che
corrispondano all'estremità opposta.

ULTIMARE LO SCIALLE

Affrancate tutti i capi del filo. Mettete in
forma (vedere pag. 26) e lasciate asciugare,
oppure fate una leggera pressione dalla parte
del rovescio con il ferro da stiro tiepido.

Lavoro 4 / BORSETTA

Fiori e foglie dai colori vivaci decorano questa borsetta, capiente a sufficienza per contenere portafoglio, chiavi, cellulare e altri accessori indispensabili. È molto graziosa anche senza l'applicazione dei decori e può essere lavorata in tinta unita o a righe.

OCCORRENTE

- 4 gomitoli di filato per maglieria tipo sport con peso/mt al gomitolo: 50 g = 120 m circa, di un colore neutro.
- avanzi dello stesso filato rosso, giallo e verde.
- uncinetti n. 4, 6 e 6,5.
- ago da lana.

DIMENSIONI DEL PEZZO FINITO

La borsetta misura 25 cm di altezza e 27 cm di larghezza.

Potete cucire tutti i decori che volete sulla vostra borsetta.

TENSIONE

10x10 cm sono pari a 14 punti e 17 righe lavorati a maglia bassa con il filo raddoppiato.

ESECUZIONE DEL DAVANTI DELLA BORSETTA

Con l'uncinetto n. 6,5 e il filo raddoppiato avviate 37 catenelle.
Passate all'uncinetto n. 6.

Riga di base: (DL) 1 m.b. Nella 2ª cat. dall'uncinetto, 1 m.b. in tutte le cat. fino alla fine, volt.

1ª Riga: 1 cat., 1 m.b. in tutte le m.b. della r.prec., volt. (36 m.b.).

Rip. questa riga 31 volte, finendo con una riga sul DL.

ESEGUIRE L'APERTURA

1ª Riga: (RL) 1 cat., 1 m.b. nelle 12 m.b. succ., 12 cat., salt. 12 m.b. succ., 1 m.b. nelle 12 m.b. succ., volt.

2ª Riga: 1 cat., 1 m.b. nelle 12 m.b. succ., 1 m.b. nelle 12 cat. succ., salt. 12 m.b. succ., 1 m.b. nelle 12 m.b. succ., volt. (36 m.b.).

ESEGUIRE IL MANICO

1ª Riga: 1 cat., 1 m.b. In tutte le m.b. Della r.prec., volt.

Rip. la 1ª riga tre volte, finendo con una riga sul DL.

Affrancate il filo.

ESECUZIONE DEL DIETRO DELLA BORSETTA

Procedete come per il davanti.

ESEGUIRE I FIORI E LE FOGLIE

Usate un filo di un colore contrastante e l'uncinetto n. 4. Seguendo la spiegazione per il "fiore arricciato" (vedi pag. 101), realizzate tre fiori rossi e tre fiori gialli.

Con il filo verde e l'uncinetto n. 4, eseguite due pezzetti di cordone a maglia bassa seguendo le istruzioni a pag. 97.

CONFEZIONARE LA BORSETTA

Premete delicatamente i pezzi dalla parte del rovescio (vedi pag. 26). Affrancate i capi del filo sul rovescio servendovi dell'ago da lana (vedere pag. 23).

Prendendo la fotografia come modello, appuntate i fiori e le foglie sul davanti della borsetta, facendo in modo che i fiori si sovrappongano alle estremità delle foglie. Fissate i fiori con qualche punto con un filo abbinato, cucendoli sulle catenelle dietro al petalo di ogni fiore. Cucite le foglie al centro.

Unite i pezzi con le parti davanti combacianti e appuntateli lungo i margini. Usando lo stesso filo e l'ago da lana, unite i lati e la base, quindi rovesciate la borsetta in modo che il dritto rimanga all'esterno.

CONSIGLIO

Il filato in tinta unita può essere impiegato doppio, ma i colori contrastanti vanno impiegati singolarmente.

Lavoro 5 / PRESINA A INTARSIO

Combinate avanzi di filato per maglieria ritorto a 2 capi con un gomitolo di filo variegato e confezionate questa allegra presina a intarsio. Il dietro è stato lavorato a maglia bassa a tinta unita, ma se preferite, potete eseguire il motivo a intarsio su entrambi i lati.

OCCORRENTE

- 1 gomitolo di filato per maglieria ritorto a 2 capi con peso/mt al gomitolo: 50 g = 120 m del colore principale (filo A).
- avanzi dello stesso tipo di filato in quattro colori tenui: B, C, D ed E.
- uncinetti n. 4 e 4,5 o delle dimensioni opportune per raggiungere la tensione necessaria.
- ago da lana.

TENSIONE

10x10 cm sono pari a 17 punti e 21 righe in maglia bassa, lavorata con l'uncinetto n. 4.

Questo è il lavoro ideale per recuperare gli avanzi di filato che avete conservato.

DIMENSIONI DEL PEZZO FINITO

La presina è un quadrato di 19 cm di lato circa, inclusi i margini ma esclusa l'asola per appenderla.

ESECUZIONE

DAVANTI

Con l'uncinetto n. 4,5 e il filo A, avviate 31 catenelle di base. Passate all'uncinetto n. 4 e seguite le indicazioni per l'uncinetto a intarsio a pag. 68. Eseguite lo schema secondo il diagramma, leggendo dal basso verso l'alto. Iniziate dal margine destro e leggete le righe sul dritto (quelle con i numeri dispari) da destra verso sinistra, e quelle sul rovescio (con i numeri pari) da sinistra verso destra.

Una volta completato il diagramma, affrancate il filo.

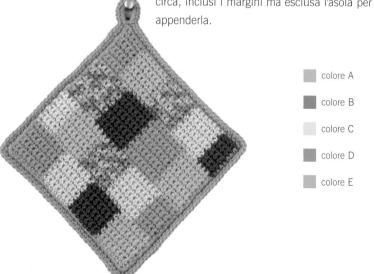

	colore A
	colore B
	colore C
	colore D
	colore E

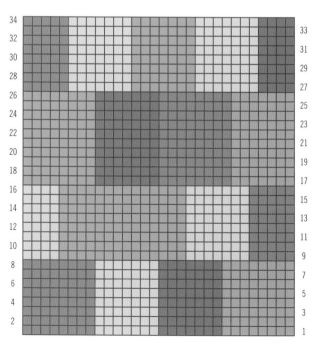

DIETRO

Con l'uncinetto n. 4,5 e il filo A, avviate una catenella di base di 31 maglie. Passate all'uncinetto n. 4.

Riga di base: (DL) 1 m.b. nella 2ª cat. dall'uncinetto, 1 m.b. in tutte le cat. fino alla fine, volt (30 m.b.).

1ª Riga: 1 cat., 1 m.b. In tutte le m.b. Sulla r.prec., volt.

Rip. questa riga 32 volte, finendo con una riga sul RL. Affrancate il filo.

CONFEZIONARE LA PRESINA

Fermate tutti i capi dei fili (vedere pag. 23).

Mettete in forma i pezzi (vedere pag. 26) e lasciateli asciugare.

Appuntate i pezzi, rovescio contro rovescio.

Con il davanti rivolto verso di voi, unite il filo A a un angolo della presina.

1° Giro: (DL) 1 cat., 1 m.b. Nello stesso punto, lavorate delle m.b. attorno al margine, eseguendo 3 m.b in ogni angolo, unite con 1 m.bss. Alla prima m.b.

2° Giro: eseguite l'asola per appendere la presina (9 cat., inserite l'uncinetto nell'ultima m. del giro prec. e lavorate 1 m.bss.), 1 cat., 15 m.b.nell'asola, lavorate 1 m.b. nelle m.b. del giro prec., lavorando 3 m.b. nel punto centrale del gruppo di 3 m.b. in ogni angolo, unite con 1 m.bss. nella prima m.b. dell'asola. Affrancate i fili.

Lavoro 6 / CUSCINO A ESAGONI

Realizzare un copricuscino composto da vari moduli è un'ottima strategia per mostrare tutta la vostra abilità nel lavorare a uncinetto. In questo schema, 24 esagoni sono stati lavorati in toni neutri e poi uniti insieme per ottenere un copricuscino rettangolare. Potete scegliere se usare i colori abbinati che vi proponiamo oppure lavorare ogni esagono in un colore diverso, riutilizzando gli avanzi di filo che avete conservato.

OCCORRENTE

- filato per maglieria ritorto a 2 capi (con peso/mt al gomitolo 50 g = 122 m) in 7 colori coordinati:1 x gomitolo da 50 g di senape (A), ambra (B), bianco naturale (C) e giallo limone (G), 2 x gomitolo da 50 g di lino (D), tundra (E) e noce (F).
- uncinetto n. 4 o delle dimensioni opportune per raggiungere la tensione necessaria.
- ago da lana.
- cuscino rettangolare da 40 x 50 cm.

Realizzare dei motivi esagonali è un'ottima strategia per mostrare la vostra abilità nel lavorare a uncinetto.

TENSIONE

Dopo la messa in forma, ogni modulo misura 13 cm da un lato all'altro e 14,5 cm da un vertice all'altro.

DIMENSIONI DEL PEZZO FINITO

Il copricuscino ultimato è adatto per un cuscino di 40 x 50 cm.

ESECUZIONE

Usando lo schema della "ruota a esagono" a pagina 86, lavorate tre moduli con i colori A, B, C e G e quattro moduli con i colori D, E ed F.

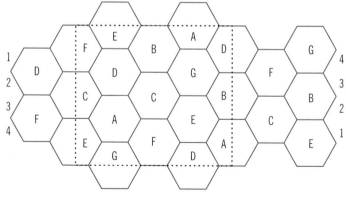

·········· Piega

CONFEZIONARE IL COPRICUSCINO

Affrancate tutti i capi del filo (vedere pag. 23). Mettete in forma tutti i moduli (vedere pag. 26) e lasciateli asciugare. Disponeteli come indicato nello schema e cuciteli insieme con un filo abbinato. Una volta uniti i motivi, ripiegate il lavoro seguendo le linee punteggiate presenti sullo schema e unite i margini opposti di quelli restanti. Non cucite i margini numerati sullo schema con 1, 2, 3 e 4 per eseguire l'apertura sul retro del copricuscino. Rovesciate il copricuscino e inserite il cuscino. Fate combaciare i bordi dei motivi lungo l'apertura, appuntateli e cuciteli insieme.

Lavoro 7 / SACCA STRIATA

Usate tutti gli avanzi di filato che avete conservato per realizzare questa graziosa sacca con cordoncini. Per la sacca nella foto sono stati usati diversi tipi di filati per maglieria tipo sport, inclusi nastrini brillanti, catenelle metallizzate, filati fantasia e lana a tinta unita. Potete cambiare il filo alla fine di ogni giro o lavorare più giri nello stesso filato, sta a voi la scelta.

OCCORRENTE

- tanti filati per maglieria tipo sport di diversi colori e trame. Come punto di riferimento, per lavorare un giro di maglia alta nel punto più largo della sacca, avrete bisogno di circa 3,2 m di filo.
- uncinetti n. 4 e 4,5.
- ago da lana.

Per confezionare un pezzo davvero unico, date via libera alla fantasia nella scelta dei filati.

TENSIONE

Per questo lavoro non è necessario raggiungere una tensione precisa.

DIMENSIONI DEL PEZZO FINITO

La sacca della fotografia misura all'incirca 33 cm in altezza e 52 cm di circonferenza. L'apertura rotonda superiore misura 33 cm.

ESECUZIONE

Lavorate partendo dal centro della base della sacca, usando l'uncinetto n.4 e seguendo lo schema per il cerchio a maglia alta a pag. 75 per i giri dal 1° al 4°.

Proseguite come indicato sotto cambiando i colori a piacere.

5° Giro: procedete come per il 4° giro, ma eseguite 3 m.a. (80 m.).

6° Giro: 3 cat., 1 m.a. nelle 2 m.a. succ., * 2 m.a. nella m.a. succ., 1 m.a. nelle 4 m.a. succ.; rip. da * fino alle ultime 2 m.a., 2 m.a. nella m.a. succ., 1 m.a. nell'ultima m.a., unite con m.bss. nella 3ª delle 3 cat. (96 m.).

7° Giro: 1 cat., 1 m.b. nella prima m.a., 1 m.b. in tutte le m.a. del giro prec., unite con m.bss. nella prima m.b.

8°, 9° e 10° Giro: 1 cat., 1 m.b. nella prima m.b., 1 m.b. in tutte le m.b. lavorate sul giro prec., unite con m.bss. nella prima m.b.

11° Giro: 3 cat., salt. la prima m.b., 1 m.a. in tutte le m.b. del giro prec., unite con 1 m.bss. nella 3ª delle 3 cat.

12° Giro: 3 cat., salt. la prima m.a., 1 m.a. in tutte le m.a. del giro prec., unite con 1 m.bss. nella 3ª delle 3 cat. contate allo stesso modo senza aumentare, lavorando un giro di m.b. o di m.a. come di seguito.

13°, 15°, 16°, 17°, 18°, 22° e 23° Giro: lavorate a m.a.

14°, 19°, 20° e 21° Giro: lavorate a m.b.

24° Giro: 3 cat., 1 m.a. nelle 2 m.a. succ., * 2 m.a. ins., 1 m.a. nelle 4 m.a. succ.; rip. da * fino alle ultime 3 m., 2 m.a. ins., 1 m.a. nell'ultima m.a.; unite con 1 m.bss. nella 3ª delle 3 cat. (80 m.).

25°, 26° e 27° Giro: lavorate a m.a.

28° Giro: 3 cat., 1 m.a. nella m.a. succ., * 2 m.a. ins., 1 m.a. nelle 3 m.a. succ.; rip. da * fino alle ultime 3 m., 2 m.a. ins., 1 m.a. nell'ultima m.a.; unite con 1 m.bss. nella 3ª delle 3 cat. (64 m.).

29°, 30°, 31° e 32° Giro: lavorate a m.a.

33° Giro: 3 cat., 1 m.a. nelle 3 m.a. succ., * 2 cat., salt. 2 m.a. succ., 1 m.a. nelle 6 m.a. succ.; rip. da * fino alle ultime 4 m., 2 cat., salt. 2 m.a. succ., 1 m.a. nelle ultime 2 m.a., unite con 1 m.bss.nella 3ª delle 3 cat.

34° Giro: 1 cat., 1 m.b. nella prima m.a., * 1 m.b. nelle 2 cat. succ., 1 m.b. nelle 6 m.a. succ.; rip. da * fino all'ultimo sp. di 2 cat., 1 m.b. nelle 2 cat. succ., 1 m.b. nelle 2 m.a. succ., unite con 1 m.bss. nella prima m.b.

35°-40° Giro: lavorate a m.b.

41° Giro: 1 cat., lavorate 1 m.bss. in tutte le m. del giro prec. Affrancate il filo.

ESEGUIRE I 2 CORDONCINI

Con un filo liscio e un uncinetto n. 4,5, eseguite una catenella di base da 125 maglie e lavorate un pezzetto di cordone a maglia bassa seguendo la spiegazione a pag. 97.

CONFEZIONARE LA SACCA

Affrancate tutti i capi del filo. Premete delicatamente dalla parte del rovescio, se necessario con un ferro da stiro freddo. Infilate i due cordoncini nei fori della borsa, lasciando libere le estremità sui lati opposti della sacca. Cucite i capi corti di ogni cordoncino e fermate i fili.

Capitolo 4
GALLERIA

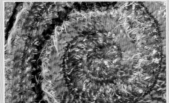

Tratte da una vasta gamma di fonti provenienti da tutto il mondo, le immagini della "galleria" propongono tantissimi capi, accessori e altri articoli a uncinetto pensati per ispirarvi e mettere alla prova le vostre abilità con nuove idee. Tuffatevi in questo mare di colori, forme, motivi e trame e analizzate alcuni degli spunti offerti dalla meravigliosa arte dell'uncinetto.

Indumenti lavorati a uncinetto

Con l'uncinetto è possibile creare tantissimi indumenti, da quelli traforati più raffinati per la sera, al caldo e classico maglione per tutti i giorni, sempre alla moda. I punti a uncinetto si possono lavorare in base a uno schema predefinito oppure in modo più avventuroso per realizzare un pezzo unico nel suo genere.

◀ SCIALLE / MAGLIONE CON SPIRALE
Kristin Omdahl

Basato su una grande spirale posta al centro del dietro, questo capo è una via di mezzo tra un maglione e uno scialle. È stato lavorato con le tonalità naturali del filato di alpaca puro e presenta maniche a coste e un decoro a pippiolini attorno al bordo.

▶ MAGLIONE ROSSO FREEFORM
Margaret Hubert

L'uncinetto freeform (detto anche scumbling) combina piccoli pezzi a uncinetto che vengono uniti mentre si lavora. La tecnica è caratterizzata dai frequenti cambiamenti di punti, trame e colori, dando così capi sempre unici.

◀ GIACCA E GONNA STRIATA
Kazekobo (Yoko Hatta)

Un completo fantasioso e originale composto da una giacchina abbottonata di mohair arancione con maniche a tre quarti, abbinata a una gonna lunga striata di lana in colori coordinati. I dettagli sono molto importanti in questo caso, soprattutto i cordoncini annodati e decorati con le nappe.

▲ ABITO IN COTONE AVORIO
Kazekobo (Yoko Hatta)

Lavorato in delicato cotone avorio, questo stupendo abito a rete filet è stato decorato con elaborati fiori stratificati, grappoli d'uva e foglie. L'orlo è stato abbellito con un bordo smerlato, mentre il capo è foderato con seta avorio.

Copricapi, sciarpe e muffole

Il ricamo a uncinetto è ideale per realizzare copricapi, muffole e sciarpe invernali pratiche e comode. Ma perché fermarsi qui? Bordi arricciati, noccioline, nappe o cordoni possono trasformare le vostre creazioni in accessori divertenti e alla moda. Sperimentate le possibilità offerte dai nuovi filati fantasia e da ciniglia, bouclé e mohair per mettere ancor più in risalto la trama del vostro lavoro.

◄ COLBACCO
Lajla Nuhic

Un meraviglioso e caldo copricapo invernale, dotato di comodi paraorecchie e legacci. La parte superiore è stata lavorata con misto mohair, lana e nylon, quella inferiore con ciniglia di cotone tinta a mano. La decorazione a spirale è stata applicata a maglia bassa una volta ultimato il copricapo.

◄ ANELLI
Lajla Nuhic

Lavorato a maglia bassa con filato raddoppiato, questo delizioso copricapo è stato decorato con singoli anelli lavorati a uncinetto, tenuti fermi sulla superficie da asole di maglia bassa.

▶ SCIARPA TUNISINA
Jennifer Hansen

Lavorata nel senso della lunghezza con l'uncinetto tunisino, questa sciarpa è stata realizzata con un filato grosso ed è caratterizzata dalle numerose variazioni di colore. I capi del filo non sono fissati alla sciarpa bensì rimangono penzolanti formando una sorta di frangia semplice.

▲ MUFFOLE RIGATE
Carol Meldrum

Lavorate con un filato grosso
a maglia bassa, queste
muffole a strisce bicolori sono
state realizzate con un
uncinetto più piccolo del
normale per ottenere un
tessuto fitto e compatto
adatto a scaldare le mani.

▶ SCIARPA A ZIG ZAG
Jan Eaton

Lavorata nel senso della
lunghezza con un punto
a spina di pesce, questa
sciarpa a trama fitta
combina filati fini,
grossi, testurizzati e
fantasia su una varietà
cromatica di blu, viola e
malva. I capi dei fili
sono stati annodati per
creare una frangia.

Scialli, poncho e sciarpine

Così popolari e alla moda, scialli, poncho e sciarpine all'uncinetto possono assumere varie forme: da accessori traforati per la sera a caldi indumenti per l'inverno. Esplorate i tanti possibili metodi di realizzazione, dall'uso di pezzi a uncinetto freeform, alla lavorazione del punto pizzo, fino all'aggiunta di frange e trame.

▸ **PONCHO CON FILATO FANTASIA**
Margaret Hubert

Lavorato con un originale filato multicolore, questo fantasioso poncho è stato abbellito con fiori all'uncinetto, mentre le frange sono composte da pezzi di filo uniti a strisce di chiffon.

◂ **SCIALLE TRAFORATO**
Jennifer Hansen

Lavorato dalla punta verso l'alto, questo versatile scialle dalla forma pratica si adagia perfettamente sulle spalle. Fantastico come capo casual da abbinare a una t-shirt e a un paio di jeans di giorno, aggiunge un tocco di eleganza indossato sopra un top senza spalline e un paio di eleganti pantaloni.

SCIALLE A PUNTO PIZZO

Questo delizioso scialle traforato è costituito da motivi floreali uniti insieme ed è la prova di come possa essere leggero e raffinato un pezzo a uncinetto. Lo scialle è decorato con un frangia fitta fissata da molti nodi.

PONCHO FREEFORM
Margaret Hubert

Formato da vari pezzi che vengono uniti cambiando fili, punti e colori, questo poncho freeform combina una vasta gamma di trame e motivi.

L'uncinetto in casa

Quella dell'uncinetto è una tecnica molto versatile per la realizzazione di accessori per la casa, in particolare quelli di grandi dimensioni come copriletti e copridivani che sono lavorati in tanti moduli quadrati, rotondi ed esagonali, che vengono assemblati insieme e che renderanno più interessante l'arredamento della vostra casa.

▲ ESPLORAZIONE A SPIRALE
Jennifer Hansen

Questo copricuscino dal design originale è un esempio di esercizio freeform nello studio, la costruzione e la combinazione di forme a spirale. Notate la scelta interessante dei colori: l'uso attento di tonalità fredde e calde accentua l'effetto a spirale.

◄ COPRIDIVANO DALLA TRAMA MORBIDA
Carol Meldrum

Lavorato a maglia alta, questo copridivano rettangolare in lana d'agnello e mohair è orlato da una spessa frangia di lana merino grossa di un colore contrastante.

◀ CUSCINI TRAFORATI

I copricuscini a uncinetto, lavorati
con un filato color crema o di cotone
bianco, possono dare un effetto
davvero notevole raggruppati insieme
su un divano o un sofà, soprattutto in
un ambiente arredato in stile country.

▼ ORIGINALE CUSCINO DA PAVIMENTO
Carol Meldrum

Costituito da quattro pannelli, usando
una precisa sequenza di strisce colorate
ruotate, il davanti di questo cuscino da
pavimento, lavorato a maglia alta,
mostra quanto sia efficace una buona
scelta dei colori.

Gioielli

I gioielli a uncinetto si sono fatti strada negli ultimi anni come espressione di una moda versatile e particolare. Oggi i gioielli a uncinetto sono presenti nei negozi di accessori e sulle bancarelle dei venditori ambulanti, lavorati o con filati convenzionali o con argento e filo flessibile per gioielli. Si va dalla semplice e graziosa spilla a fiore all'elaborata collana a più fili ornata di perline.

▸ CASCATA
Jenny Dowde

Eseguita con una tensione da 28 con il filo per gioielli, ornato da una moltitudine di perline nelle tonalità pastello del viola e del turchese, questa raffinata collana è stata lavorata con soli due punti a uncinetto: la maglia bassa e la maglia alta.

◂ ▾ MOTIVI FLOREALI
Jennifer Hansen

I motivi floreali si possono usare come spille e corsage oppure applicati su bracciali e collane. L'orchidea selvatica (sinistra) è caratterizzato da punti ghianda, la margherita (in basso, al centro) usa dei punti sempre più alti per creare la forma di una stella mentre la lupi-flora (in basso a destra) combina il punto pelliccia e la maglia bassa.

◂ COLLANA CON DISCHETTI
Carol Meldrum

Costituita da una serie di motivi circolari appesi a una catenina metallica, questa appariscente collana è un accessorio trendy perfetto da indossare con un leggero abito estivo.

**▲ RAFFINATO BRACCIALE
CON PERLINE**
Carol Meldrum

Si tratta di un delizioso
bracciale a maglia bassa,
lavorato con un filo per
gioielli d'oro fine ma
resistente, ornato da perline
di varie dimensioni nelle
tonalità del verde e del grigio.

◀ COLLANA A NOCI
A Colecionadora

Questo fantastico monile
per il collo è composto da
pezzi all'uncinetto costellati
da petali con filato fantasia.
Gli stupendi colori vanno
dal mirtillo allo scarlatto
intenso e dal fucsia fino al
rosa più pallido.

Borse

Quella dell'uncinetto è la tecnica perfetta per confezionare borsette e borse da shopping poiché permette di creare un tessuto consistente che non si sforma anche dopo un uso prolungato. Lavorata in tondo o in pezzi separati, una borsa a uncinetto rappresenta una fantastica opportunità per fare piccoli esperimenti con colori, filati diversi e trame.

▲ **GIARDINO FANTASIA**
Jenny Dowde

Questa borsa è costituita da pezzi a uncinetto grandi quanto una mano, lavorati con vari punti base come la maglia bassa, quella alta e quella alta doppia, intervallati ad altri punti, tra cui i petali. I vari pezzi sono stati poi assemblati e cuciti insieme a mano.

▲ **BORSA CON I GATTI**
Carol Ventura

Lavorata in tondo, a maglia bassa, questa borsa è stata realizzata con una tecnica a uncinetto multicolore definita "tapestry crochet" che ha origine in guatemala e nelle zone del Sud America.

◀ **BORSA A ZIG ZAG**
Carol Meldrum

Colori brillanti e originali mettono in risalto il motivo a zig zag di questa borsa a uncinetto con i manici in bambù. Il motivo è stato creato lavorando righe di punti allungati su uno sfondo a maglia bassa.

Bambole e pupazzi

I pupazzi di lana morbidi e le bambole con i loro vestitini sono da sempre i giocattoli preferiti dai bambini. Eseguito con dei filati sottili, l'uncinetto permette di creare meravigliosi completi per vestire bambole nuove e da collezione ed è ottimo per realizzare pupazzi imbottiti, come orsetti e altri animali, in una vasta gamma di stili.

◄ CONIGLIETTO DI LANA
Dennis Hansbury e Denika Robbins

I pupazzetti morbidi in stile giapponese: "Amigurumi" sono lavorati a uncinetto in tondo, a maglia bassa e poi imbottiti affinché non si sformino. Questo coniglietto ha gli occhi di vetro e la bocca ricamata.

▲ BAMBOLA CON VESTITINO
Drew Emborsky

Il designer ha vestito una bambola da collezione del 1949 con un abito a balze realizzato a uncinetto, completo di sottoveste traforata e cappello a tesa larga coordinato. L'abitino è stato realizzato con lana sport baby, a maglia bassa, mezza maglia alta e maglia alta.

◄ CONIGLIETTO BINKY
Dennis Hansbury e Denika Robbins

Un altro pupazzo imbottito nel famoso stile giapponese "Amigurumi". Il coniglietto Binky ha gli occhi di diverse dimensioni e la bocca ricamata.

CURA DELL'UNCINETTO

Osservando alcune semplici indicazioni potrete mantenere i vostri lavori a uncinetto freschi e puliti durante tutto il periodo di esecuzione. Una volta ultimato il lavoro è importante seguire sempre le istruzioni riguardanti il lavaggio fornite dal produttore del filato e conservare i pezzi con cura e nel modo opportuno.

INDICAZIONI PER LA LAVORAZIONE

Prima di iniziare a lavorare, lavatevi bene le mani. Evitate di usare creme contenenti oli che potrebbero ungere il filo. Se state utilizzando dei filati di colore chiaro, cercate di non indossare indumenti scuri che lascino dei pelucchi mentre lavorate (i maglioni angora o mohair sono i peggiori poiché perdono dei minuscoli peli che rimangono intrappolati nel pezzo lavorato). È meglio stare lontani anche da cani e gatti poiché i loro peli sono molto difficili da eliminare. Una volta terminato un lavoro, conservate con cura una piccola quantità del filo avanzato nel caso in cui, in futuro, sia necessario eseguire delle riparazioni. Potete avvolgere un pezzo di quel filo su un pezzetto di cartone, annotandoci il tipo di filato, il colore e i particolari del lavoro. È consigliabile anche attaccare una delle fascette presenti sul gomitolo di filo per ricordarne la composizione e tutte le particolari indicazioni per la stiratura e il lavaggio. Proteggete i cartoncini dalla polvere raccogliendoli in una scatola e conservateli in un luogo fresco e asciutto.

PRENDERSI CURA DEI LAVORI A UNCINETTO

Seguite le istruzioni per il lavaggio e la stiratura, presenti sulla fascetta del gomitolo, relative al particolare tipo di filato utilizzato. Ulteriori informazioni sulle fascette dei gomitoli sono presenti a pagina 20. Se il filato utilizzato è lavabile in lavatrice, mettete il lavoro all'interno di un apposito sacchetto traforato con chiusura lampo per impedire che si allarghi o si disfi durante il ciclo di lavaggio. Se siete sprovvisti di un sacchetto traforato, potete usare in alternativa una vecchia federa pulita; basterà fissare l'estremità aperta con un elastico per capelli o eseguire una filza attraverso l'apertura per chiudere la federa. Se avete tovaglie o tovagliette decorate a uncinetto, trattate eventuali sbavature e macchie non appena fanno la loro comparsa e riparate i possibili danni al lavoro prima del lavaggio.

Per quanto riguarda i lavori a uncinetto composti da filati che non sono lavabili in lavatrice, lavate con cura a mano, in acqua tiepida con un prodotto per capi delicati. L'ideale sarebbe usare detergenti specifici per la lana o i tessuti benché sia necessario verificare che quello scelto non contenga dei candeggianti ottici che farebbero sbiadire i colori. Risciacquate perfettamente il pezzo, cambiando spesso l'acqua che deve avere la stessa temperatura di quella del lavaggio, per evitare un infeltrimento. Strizzatelo delicatamente senza attorcigliarlo per eliminare la maggior quantità d'acqua in eccesso possibile, quindi avvolgete il lavoro ancora bagnato in un asciugamano e comprimetelo per togliere tutta l'umidità. Ridate delicatamente forma al lavoro e mettetelo ad asciugare piatto lontano dalla luce diretta del sole. Una volta asciutto,

Conservate la fascetta del gomitolo di filo per le indicazioni sul lavaggio

È utile conservare una nota sui particolari dei vostri lavori a uncinetto.

Copertina di Susanna
8 gomitoli da 50 gr.
colore menta
uncinetto n. 4

Prendete nota dei particolari del lavoro

Potete conservare una piccola quantità di filo avanzato in caso siano necessarie delle riparazioni

LAVAGGIO A MANO	LAVAGGIO IN LAVATRICE	CANDEGGIO	STIRATURA	LAVAGGIO A SECCO
Non lavare a mano o in lavatrice	Lavabile in lavatrice in acqua calda alla temperatura indicata	Non candeggiare	Non stirare	Non lavare a secco
Lavabile a mano in acqua calda alla temperatura indicata	Lavabile in lavatrice in acqua calda alla temperatura indicata, risciacquo in acqua fredda e centrifuga ridotta	Candeggiabile (con il cloro)	Stirare a ferro tiepido	Lavabile a secco con tutti i solventi
	Lavabile in lavatrice in acqua calda alla temperatura indicata, centrifuga ridotta		Stirare a ferro caldo	Lavabile a secco con solventi a base di percloroetilene, fluorocarburo o petrolio
			Stirare a ferro bollente	Lavabile a secco solo con solventi a base di fluorocarburo o petrolio

Seguite sempre le istruzioni presenti sulla fascetta del gomitolo di filo per il lavaggio e la stiratura. A sinistra potete vedere i simboli standard per il lavaggio usati sulle fascette dei gomitoli.

asciutto, seguite le istruzioni per la stiratura presenti sulla fascetta del gomitolo.

CONSERVARE I LAVORI A UNCINETTO

I peggiori nemici dei tessuti a uncinetto, oltre allo sporco e alla polvere, sono la luce diretta del sole che può sbiadire il colore dei filati e indebolirne le fibre, il calore eccessivo che rende il filo secco e fragile, l'umidità che fa marcire le fibre e le tarme che possono danneggiare gravemente i filati di lana. Non conservate per molto tempo i filati o i pezzi a uncinetto nei sacchetti di polietilene poiché questa sostanza attira lo sporco e la polvere che si trasferirebbero al vostro lavoro. Il polietilene, inoltre, impedisce ai filati contenenti fibre naturali come lino e cotone, di respirare. Ciò può provocare l'insorgere di muffe e quindi indebolire o far marcire le fibre. Conservate invece i lavori piccoli avvolti in carta velina bianca senza acido o in una vecchia federa di cotone. Per quanto riguarda invece lavori grandi e pesanti come giacche invernali e maglioni, che potrebbero lasciarsi andare e allargarsi se conservati sugli appendiabiti, ripiegateli tra strati di carta velina bianca, assicurandovi che ogni piegatura sia imbottita con la carta. Conservate tutti i lavori in un cassetto, un armadio o in un qualsiasi altro luogo buio, asciutto e privo di tarme, controllandoli regolarmente e ripiegando i pezzi più grandi. È consigliabile inoltre confezionare dei sacchettini di tessuto contenenti dei fiori di lavanda essiccati e infilarli nel cassetto o nell'armadio con i vostri lavori, poiché il profumo tiene lontane le tarme.

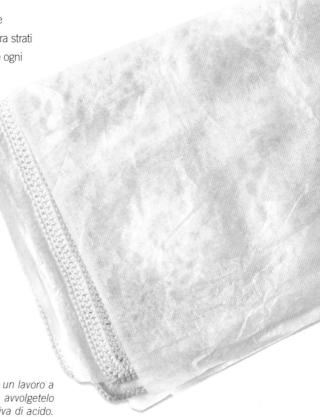

Se dovete conservare un lavoro a uncinetto per molto tempo, avvolgetelo nella carta velina bianca priva di acido.

ABBREVIAZIONI E SIMBOLI

Ecco le abbreviazioni e i simboli usati in questo libro. Non esiste uno standard a livello mondiale, quindi in altre pubblicazioni potreste incontrarne di diversi.

ABBREVIAZIONI PER L'UNCINETTO STANDARD

alt.	alternare
as.	asola
cat.	catenella
cont.	continuare
DL	dritto del lavoro
gett.	filo sull'uncinetto
iniz.	iniziale
ins.	insieme
m.	maglia/maglie
m.a.	maglia alta
m.b.	maglia bassa
m.bss.	maglia bassissima
m.m.a.	mezza maglia alta
prec.	precedente
r.	riga
rest.	restante
rip.	ripetere/ripetizione
RL	rovescio del lavoro
salt.	saltare
sch.	schema
sp.	spazio
succ.	successivo
volt.	voltare

SIMBOLI DEI PUNTI

Maglia bassa con perlina	
Petalo	
Catenella	
Grappolo	
Maglia alta	
Maglia alta in costa dietro	
Maglia alta in costa davanti	
Mezza maglia alta	
Punto pelliccia	
Punto tunisi semplice	
Ghianda	
Punto nocciolina	

Maglia alta in rilievo sul dietro	
Maglia alta in rilievo sul davanti	
Maglia bassa con paillette	
Conchiglia	
Maglia bassa	
Maglia bassa in costa dietro	
Maglia bassa in costa davanti	
Maglia bassissima	
Punto allungato	
Maglia alta doppia	
Maglia rasata tunisina	
Punto tunisi traforato	

SIMBOLI AGGIUNTIVI

Cambio di colore

Direzione del lavoro

Non voltare

Affrancare il filo

Riga di base F R

Aggiungere un nuovo colore ◁

TERMINOLOGIA INGLESE E ITALIANA

Gli schemi in questo libro usano una terminologia italiana. Gli schemi in inglese possono risultare molto caotici poiché moltissimi termini differiscono da quelli italiani, come potete vedere sotto.

Inglese	Italiano
Double crochet (dc)	maglia bassa (m.b.)
Extended double (exdc)	maglia bassa doppia (m.b.d.)
Half treble crochet (htr)	mezza maglia alta (m.m.a.)
Treble crochet (tr)	maglia alta (m.a.)
Double treble crochet (dtr)	maglia alta doppia (m.a.d.)
Triple treble crochet (trtr or ttr)	maglia tripla (m.tr.)

DISPOSIZIONE DEI SIMBOLI

Descrizione	Simbolo	Spiegazione
Simboli uniti in alto		un gruppo di simboli uniti tra loro in alto sta a significare che alcune maglie non sono completate e sono chiuse insieme a formare un grappolo
Simboli uniti alla base		i simboli uniti alla base vanno lavorati tutti nella stessa maglia sottostante
Simboli uniti in alto e in basso		a volte un gruppo di maglie è unito sia in alto sia in basso e crea una nocciolina, un petalo o una ghianda
Simboli su una curva		talvolta i simboli vengono disegnati su una curva, a seconda della struttura dello schema dei punti
Simboli deformati		alcuni simboli vengono allungati, incurvati o incrociati per indicare quando l'uncinetto è stato inserito da sotto, come per i punti

CATEGORIE DI FILATO, LIVELLI DI TENSIONE E MISURE DI UNCINETTO CONSIGLIATE

Categoria di grossezza del filato	extrafine	fine	classico	medio	grosso	extragrosso
Tipi di filati nella categoria	2 capi tipo zephir	baby	per maglieria, ritorto a 2 capi poco pettinato	4 capi ritorto	4 capi sport	super sport, volumizzato
Livelli di tensione a maglia bassa in 10 cm	23–32 m	16–20 m	12–17 m	11–14 m	8–11 m	5–9 m
Misura di uncinetto consigliata	2,25–3,5 mm	3,5–4,5 mm	4,5–5,5 mm	5,5–6,5 mm	6,5–9 mm	9 mm e oltre

Quelle sopra sono le tensioni e le grandezze di aghi o uncinetti più usati per le varie categorie di filato.

Extrafine

Medio

Grosso

Fine

Classico

Extragrosso

Gli uncinetti sono disponibili in una vasta gamma di dimensioni, forme e materiali.

GLOSSARIO

A intarsio
L'uncinetto a intarsio produce un disegno che presenta aree di colori diversi, lavorate ognuna con un piccolo gomitolo di filato separato. Gli schemi a intarsio vengono realizzati in due o più colori sulla base di un diagramma colorato su una griglia. Ogni quadretto colorato sul diagramma rappresenta un punto.

Ago da cucito
Un ago dalla punta aguzza usato per applicare un profilo a uncinetto o una bordura a un pezzo di tessuto.

Ago da lana
Un ago con la cruna grande, dalla punta arrotondata, usato per cucire insieme i pezzi a uncinetto.

Ago da tappezzeria
Un ago con la cruna grande, dalla punta arrotondata, usato per cucire insieme i pezzi a uncinetto.

Aumento
Aggiungere uno o più punti per aumentare il numero di maglie da lavorare.

Avviare
Lavorare una successione di catenelle, che formano la catenella.

Bordo
Rifinitura del lavoro eseguita con righe decorative lavorate direttamente sul bordo o sul vivagno.

Capo
Un singolo filo di un filato ottenuto attorcigliando insieme le fibre. Quasi tutti i filati sono composti da due o più capi attorcigliati insieme per ottenere grossezze diverse, sebbene alcuni fili di lana siano costituiti da un unico capo spesso.

Catenella di base
Una successione di catenelle che costituisce la base per un pezzo all'uncinetto.

Catenella di partenza
Un numero specifico di punti catenella lavorati all'inizio di un giro per portare l'uncinetto all'altezza esatta per il punto successivo che si dovrà lavorare.

Catenella per voltare
Un numero specifico di punti catenella lavorati all'inizio di una riga per portare l'uncinetto all'altezza esatta per il punto successivo che si dovrà lavorare.

Cucitura
L'unione di due pezzi a uncinetto che vengono cuciti o ricamati insieme.

Decoro
Un pezzo a uncinetto eseguito separatamente e cucito sul lavoro principale o su un tessuto liscio come decorazione.

Diagramma
Schemi che descrivono graficamente un pezzo a uncinetto, usando simboli che rappresentano i diversi punti e che indicano con precisione dove e come essi debbano essere posizionati in relazione l'uno con l'altro.

Diminuzione
Eliminare uno o due punti per ridurre il numero di maglie da lavorare.

Dritto
Il davanti del tessuto a uncinetto. In genere questa è la parte visibile di un pezzo finito, anche se alcuni schemi di punti possono essere double face.

Fascetta
La striscia o l'etichetta di carta presente sul gomitolo o la matassa di filo. Riporta informazioni riguardanti il peso, del colore, il numero del colore, e del lotto del colore e la composizione della fibra contenuta nel filato. È possibile siano presenti istruzioni per la conservazione e altri dettagli, inclusa la lunghezza, la tensione e l'uncinetto consigliati.

Festone
Una stretta striscia all'uncinetto, in genere con un margine dritto e uno sagomato, usata per decorare pezzi all'uncinetto o di tessuto.

Fibra
Sostanze naturali o artificiali filate insieme per produrre un filato.

Giro
Una riga di uncinetto lavorata in tondo; la fine di un giro si unisce all'inizio dello stesso giro. I giri di uncinetto possono formare motivi piatti o sagome tubolari.

Grappolo
Gruppo di maglie incomplete, lavorate su maglie di base separate e chiuse insieme.

Jacquard
Gli schemi jacquard sono simili a quelli dell'uncinetto a intarsio ma i fili vengono portati avanti lungo la riga piuttosto che essere usati separatamente. Gli schemi jacquard vengono rappresentati sottoforma di diagramma colorato su una griglia. Ogni quadretto colorato sul diagramma rappresenta un punto.

Lotto del colore
La partita di colore usata per un determinato gomitolo di filo. Le tonalità possono variare da un lotto all'altro, per questo è sempre meglio usare un filato dello stesso lotto per realizzare un lavoro.

Messa in forma

Fissare un pezzo all'uncinetto, tendendolo e appuntandolo su una superficie piatta prima di vaporizzarlo o trattarlo con l'acqua fredda.

Modulo

Una forma all'uncinetto, che può essere rotonda, quadrata o esagonale. Si possono unire tanti moduli tra loro come se si trattasse di patchwork per ottenere un pezzo più grande. Viene definito anche medaglione o blocco.

Motivo

Una sequenza di punti e righe (o giri) ripetuta parecchie volte a creare un disegno particolare.

Nocciolina

Tante mezze maglie alte lavorate nella stessa maglia di base e unite insieme in alto per ottenere una maglia in rilievo.

Petalo

Tante maglie alte lavorate nella stessa maglia e unite insieme in alto per ottenere un rilievo decorativo. Risulta più alto e meno gonfio della nocciolina.

Pippiolino

Punto decorativo formato da un certo numero di catenelle chiuse ad anello con una maglia bassissima. Il numero di catenelle in un pippiolino è variabile.

Pizzo

Uno schema di punti che crea un motivo traforato simile in apparenza al pizzo.

Profilo

Una stretta striscia a uncinetto, simile a prima vista a una di quelle acquistate per la decorazione della casa.

Punto allungato

Un punto decorativo eseguito inserendo l'uncinetto

dal davanti verso il dietro del lavoro, una o due righe sotto la posizione normale e/o a destra o a sinistra del punto lavorato.

Punto traforato

Un particolare tipo di punto eseguito con un uncinetto e un grande ferro da maglia.

Rete semplice

Uno schema di maglie che crea una griglia geometrica regolare.

Ricamo sull'uncinetto

Righe di uncinetto decorativo ricamate su uno sfondo a uncinetto.

Riga

Una fila di maglie lavorata in andata e ritorno per ottenere un pezzo piatto all'uncinetto.

Riga di base

In uno schema di punti, la prima riga lavorata nella catenella di base. La riga di base non viene ripetuta come parte dello schema.

Rinforzo

Righe in più di uncinetto semplice lavorate sul margine lungo dritto di un bordo o di una bordura per conferire più forza e durevolezza.

Ripetizione di uno schema

Il numero specifico di righe o giri necessari per completare uno schema di punti.

Rovescio

Il dietro di un tessuto a uncinetto. In genere questa parte non è visibile sul lavoro ultimato.

Schema

Una serie di istruzioni che spiegano esattamente come confezionare un indumento o un qualsiasi altro pezzo all'uncinetto.

Schema di punti

Una sequenza o una combinazione di punti ripetuta più volte per realizzare un lavoro a uncinetto.

Spazio di catenella

Spazio che si forma lavorando dei punti catenella tra altri punti. Viene chiamato anche asola di catenelle o arco di catenelle.

Tensione

Il campione compreso da un numero specifico di righe e punti presenti per verificare che il proprio modo di lavorare all'uncinetto corrisponda alle spiegazioni del modello o alle indicazioni della fascetta.

Uncinetto filet

L'uncinetto filet viene lavorato a tinta unita su uno sfondo traforato uniforme. In genere viene eseguito sulla base di un diagramma piuttosto che di spiegazioni scritte.

Uncinetto tunisino

Un particolare tipo di punto lavorato con uno speciale uncinetto lungo. L'uncinetto tunisino viene eseguito in righe di andata e ritorno senza voltare il lavoro.

Ventaglio

Tante maglie alte lavorate nella stessa maglia di base che creano la forma di un ventaglio o di una conchiglia.

Produttori

Breve elenco di
produttori di filati

FILATURA DI CROSA

Lane **MONTEROSA**

Filatura di Crosa
Via C.Bellia 34
13843 Pettinengo (BI)
Tel. 015 8442600
Fax 015 8442610
Numero verde
800-271.603
contact@filaturadicrosa.com
www.filaturadicrosa.com

MONDIAL
Filati Lana & Cotone · ITALIA

Lane Mondial S.p.A.
Via Orzinuovi 10
25121 Brescia
Tel 030 3540161
Fax 030 3542891
Numero verde
800.066.833
info@lanemondial.it
www.lanemondial.it

 **Ornaghi Filati** s.a.s.

Ornaghi Filati s.a.s.
Via Montello 221/223
20038 Seregno (MI)
Tel. 0362231575 (5 linee r.a.)
Fax 0362 325215
info@ornaghi.it
www.ornaghi.it

 **tropicalLane**
FILATI IN LANA E COTONE®

Tropical Lane S.p.A.
Via C. Pavese 7
47852 Cerasolo di Coriano (RN)
Tel. 0541759307
Fax 0541756282
info@tropicallane.it
www.tropicallane.it

 Coats Cucirini

Coats Cucirini
Via Vespucci 2
20124 Milano
Tel. 0229004610
filo.diretto@coatscucirini.com
www.coatscucirini.it

B·B·B

B.B.B. Filati srl
Viale Vento 47
47838 Riccione (RN)
Tel. 0541 644975
Fax 0541 644976
info@bbbfilati.it
www.bbbfilati.it

 Filatura Cervinia
TOLLEGNO

Filatura Cervinia S.p.A.
Via Martiri della Libertà 31
13818 Tollegno (BI)
Tel. 015 2429400
Fax 015 2429440
cervinia@filaturacervinia.it
www.filaturacervinia.it

 LANA GATTO
TOLLEGNO
DAL 1900

Filatura e Tessitura
di Tollegno Spa - Lana Gatto
Via Roma, 9
13818 Tollegno (BI)
Tel. 015 2429200
Fax 015 2429285
lanificio@tollegno1900.it
www.tollegno1900.it

Filatura di Grignasco
Via Dante Alighieri 2
28075 Grignasco (NO)
Tel. 0163 4101
Fax 0163 410349
fag@filgri.it
www.grignascogroup.com

Adriafil srl
Via Coriano 58
47900 Rimini
Tel. 0541 383706
Fax 0541 390244
contact@adriafil.com
www.adriafil.com

Rivenditori di filati e accessori

Canetta Mani di fata
Via Vettabia 7
20122 Milano
Tel. 02 58310492
canetta@canetta.it
www.manidifata.it

Magie di Punti
Via Gravellona, 16
27029 Vigevano (PV)
Tel. 0381 20176
info@magiedipunti.it
wwwmagiedipunti.it

I fili di Francesca
Via Castel Guinelli, 30
50063 Figline Valdarno (FI)
Tel. 055 953046
info@ifilidifrancesca.it
www.ifilidifrancesca.it

la pecora nera
www.lapecoranerafilati.it
Centro vendita:
Via Martiri della Libertà, 22
31030 Dosson di Casier (TV)
Tel. 0422 383065
dosson@lapecoranerafilati.it

Via Pescheria, 25
31100 Treviso (TV)
Tel. 0422 541332
treviso@lapecoranerafilati.it

Via Olivi, 6
30175 Mestre (VE)
Tel. 041 985928
mestre@lapecoranerafilati.it

FILMARKET
S.S. Romagnano Sesia -
Borgomanero
28010 CAVALLIRIO (NO)
Tel. 0163 80993

Fax 0163 80963
www.filmarket.it

Altri centri vendita:
Loc. S. Anna
27030 Palestro (PV)
Tel. 0384 655561

MAFIL
Via Davide Campari, 8/10/12
00155 Roma (RM)
Tel. 06 2286337
Fax 06 2286337
info@mafil.it
www.mafil.it

TIRABOSCHI'S
Tiraboschi Luca & C. s.a.s.
Via C. Battisti 7/b
24025 Gazzaniga (BG)
Tel. 035 712629
Fax 035 712629
info@tiraboschis.it
www.tiraboschis.it

ISPE snc
Via G. Galilei, 22
35030 Sarmeola di Rubano
(PD)
Tel. 049 8976776
Fax 049 8976123
Email: info@ispe.net
www.ispe.net

IXIA FILATI PREGIATI
di Marco Quaranta
Via Cantagallo, 297
59100 Prato (PO)
Tel 0574 460069
www.ixiacashmere.com

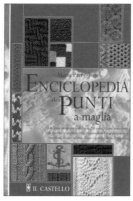

J. Eaton

**Enciclopedia
dei Motivi a punto croce**

256 pag., 14,5x19,5 cm,
€ 23,80

Contiene più di 1000 stupendi motivi per ricamare a punto croce imparaticci, quadri, biglietti d'auguri e molti altri begli oggetti, grazie agli schemi a colori, facili da seguire.

Le istruzioni dettagliate che descrivono le tecniche di base permetteranno anche alle principianti di ricamare entro breve tempo.

La rilegatura a spirale permette di aprire completamente il libro e di tenerlo piatto, per una facile consultazione.

M. Parry-Jones

**Enciclopedia dei
Punti a maglia**

256 pag., 14,5x19,5 cm,
€ 23,80

Ogni campione di punto, dalla più semplice maglia rasata ai più complessi punti jacquard, è raffigurato fotograficamente e accompagnato da uno schema chiaro e conciso.

Le istruzioni all'inizio del libro sul suo utilizzo e sull'interpretazione degli schemi, la spiegazione dei simboli e l'elenco delle abbreviazioni finali saranno una guida per tutte. È stata inclusa anche una sezione che mostra come rendere più prezioso il lavoro a maglia applicando perline e paillettes.

B. Barnden

Enciclopedia del Ricamo

256 pag., 14,5x19,5 cm,
€ 23,80

Oltre 200 punti con fotografie e schemi. Seguendo gli schemi dettagliati fase per fase, anche i punti più complicati diventeranno facili da ricamare. Un manuale essenziale per chiunque voglia imparare a ricamare e una guida di riferimento per chi voglia migliorare la propria tecnica. I punti sono suddivisi a seconda della tecnica e grazie alla panoramica dei punti all'inizio del libro, sarà semplice scegliere il punto più adatto al lavoro che si desidera eseguire.

A. Meloni

Tra i nodi del Macramé

80 pag., 17x24 cm, € 14,50

Motivi base per collane eseguiti a macramé, uncinetto e chiacchierino.

Semplici schiaccini e perle di tutte le qualità.

A. Meloni

Tra i nodi del Macramé

80 pag., 17x24 cm, € 14,50

Leggendo questo libro e seguendo gli insegnamenti ed i consigli dell'autrice, chiunque si appassionerà all'esecuzione di questa facile tecnica, iniziando dai singoli nodi fino alle frange più elaborate, ottenendo risultati soddisfacenti.

B. Barnden
Enciclopedia delle tecniche del punto croce
160 pag., 22x22 cm, € 19,90
Una guida completa che descrive vari tipi di punto croce e di ricamo a fili contati, dal tradizionale punto Assisi ai disegni moderni, multicolori e stilizzati. I punti e le tecniche di tutto il mondo sono descritti con dovizia di particolari e illustrati chiaramente con fotografie, schemi e illustrazioni. Una sezione speciale spiega come preparare i propri schemi per realizzare pezzi originali ed esclusivi. Troverete anche una galleria di raffinati pezzi ricamati a punto croce e a fili contati.

W. Gardiner
Enciclopedia e tecniche del cucito
160 pag., 22x22 cm, € 19,90
Una guida completa passo passo per cucire a mano e a macchina che combina nozioni di base per principianti e tecniche avanzate per sarte più esperte. Cuciture, pince, pieghe, scolli, occhielli, cerniere, orli e molto altro: una guida di riferimento indispensabile per conoscere tutti gli strumenti, i materiali e le tecniche di cucito necessari. Splendidamente illustrata con fotografie a colori e chiari schemi per aiutarvi a ottenere sempre risultati professionali.

L. Stanfield e M. Griffiths
Enciclopedia e tecniche dei lavori a maglia
128 pag., 22x22 cm, € 19,90
Una guida completa alle tecniche di base e a quelle avanzate dei lavori a maglia ai ferri.
L'antica arte della maglia descritta con spiegazioni concise illustrate passo passo e con esempi dei lavori finiti. Suggerimenti e astuzie del mestiere per ciascun progetto, oltre a consigli per la risoluzione dei problemi.

J. Eaton
Arte e tecnica dell'uncinetto 200 moduli quadrati
128 pag., 22x22 cm, € 19,50
Ciascun modulo è illustrato da una fotografia a colori e una chiara spiegazione e accompagnato da simboli che indicano il metodo di lavorazione e il grado di difficoltà. Per esplorare ulteriormente il mondo dei colori, per alcuni moduli vengono fornite tre varianti di colore, rendendo così infinite le possibilità di abbinamenti. Inoltre l'autrice ha inserito una sezione di progetti con combinazioni e abbinamenti veramente affascinanti, da copiare o da cui ispirarsi.

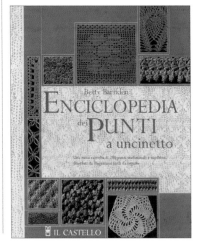

B. Barnden
Enciclopedia dei punti a uncinetto
256 pag., 14,5x19,5 cm, € 23,80
Le principianti potranno imparare questa antica arte tradizionale seguendo le istruzioni dei capitoli introduttivi con le spiegazioni delle tecniche di base illustrate passo passo e con l'elenco dei materiali necessari. Il capitolo sulla panoramica dei punti permetterà alle principianti e alle esperte di scegliere il punto più adatto al lavoro da intraprendere.

INDICE ANALITICO

RINGRAZIAMENTI

Quarto ringrazia gli artisti che hanno dato il loro contributo, fornendo le immagini presenti in questo libro. Ognuno di loro è stato citato accanto alla propria opera.

SITI WEB DEGLI ARTISTI

Dennis Hansbury e Denika Robbins
www.vagrantaesthetic.com

Jenny Dowde
www.jennydowde.com

Drew Emborsky
www.thecrochetdude.biz

Yoko Hatta
www.kazekobo.net

Jennifer Hansen
www.stitchdiva.com

Margaret Hubert
www.margarethubertoriginals.com

Carol Meldrum
www.beatknit.co.uk

Lajla Nuhic
www.lajla.ca

Kristin Omdahl
www.styledbykristin.com

Carol Ventura
www.tapestrycrochet.com

Quarto ringrazia inoltre coloro che seguono:

Legenda: s = sinistra, d = destra

143 s © GETTY IMAGES
141 s © MICHAEL BOYS / CORBIS
139 s © DEBORAH JAFFE / STONE+ / GETTY IMAGES
135 s, 135 d © NICHON VOGUE CO., LTD

Un ringraziamento va anche alle modelle: Isabelle Crawford e Kryssy Moss